Masajes
y reflexoterapia

Carlos A. Marino

DIANA

LIBSA

© Coedición: Edivisión Compañía Editorial, S.A. de C.V. México
Grupo Editorial Diana
ISBN: 968-13-3840-5

© 2005, Editorial LIBSA
San Rafael, 4
28108 Alcobendas. Madrid
Tel. (34) 91 657 25 80
Fax (34) 91 657 25 83
e-mail: libsa@libsa.es
www.libsa.es

Textos: Carlos A. Marino
Revisión de contenidos: Lucrecia Pérsico
Edición: Equipo Editorial Libsa

ISBN: 84-662-0928-X

Contenido

Prólogo.. 4

1. La reflexoterapia 6

2. Historia de la reflexoterapia 20

3. Preparación y elementos del masaje 32

4. Técnicas reflejas 58

5. El sistema nervioso y los cinco sentidos 66

6. Columna vertebral y articulaciones 78

7. Sistema endocrino..................................... 84

8. Sistema urogenital 90

9. Sistema cardio-respiratorio 96

10. Sistema digestivo 100

11. Sistema inmunitario 104

12. La auriculoterapia................................... 106

13. La espondiloterapia 118

14. Las manos... 136

15. El masaje podal 144

16. El sistema nervioso 154

17. El masaje ante enfermedades concretas........... 186

Prólogo

Durante cientos de años, la medicina tradicional europea ha dado la espalda a muchas terapias y técnicas efectivas practicadas desde la antigüedad, muchas de ellas en lugares geográficamente distantes, que no han estado conectados entre sí.

El tratamiento de los puntos reflejos tiene su máxima expresión en la medicina tradicional china. Es esta escuela la que muestra que en el pabellón de la oreja se encuentran los puntos reflejos de todo el organismo y la que trata las enfermedades por medio de la activación de esos puntos. El masaje podal, sin embargo, se ha desarrollado básicamente en Occidente y aunque muchos opinan que no tiene ninguna relación con la medicina china, otros, por el contrario, opinan que es en esta escuela en la que se ha basado.

La medicina occidental no ha desechado el conocimiento de los dolores reflejos a la hora de hacer diagnósticos; ha establecido vínculos entre ciertas zonas del cuerpo que manifestaban dolor con los desequilibrios de órganos que estaban alejados de ellas. Sin embargo, no ha utilizado la vía inversa; es decir, actuar sobre el punto para mejorar el órgano.

Actualmente la reflexoterapia ha cobrado un auge inesperado y ha demostrado ser una técnica eficaz para mantener la salud general del organismo, hacer aproximaciones diagnósticas y despertar los mecanismos de autocuración del propio cuerpo. No sustituye, en ningún caso, a la medicina tradicional, pero al armonizar a energía interna del paciente, permite un restablecimiento más rápido y, en ocasiones, alivia los dolores generados por las distintas enfermedades.

El masaje reflexológico, practicado con cuidado, puede ser hecho por cualquier persona que tenga un mínimo de sensibilidad en las manos. Si se tienen en cuenta las contraindicaciones y se siguen las pautas establecidas, las posibilidades de empeorar la salud con un masaje de esta naturaleza son nulas.

El conocimiento de las teorías del Yin y el Yang, de los cinco elementos y de las seis energías perversas es una base importante para el trabajo del masajista. En ella se explican relaciones que, aun cuando pudieran parecer más místicas que fisiológicas, han sido posteriormente demostradas por la medicina tradicional, aunque encuadradas en un marco diferente.

La reflexoterapia es una forma de cura que no presenta riesgos y que, sin duda, ayuda a preservar la salud. Es una manera de dar y recibir los mejores cuidados que se pueden brindar al propio cuerpo y al ajeno.

La reflexoterapia

LA REFLEXOTERAPIA, TAMBIÉN LLAMADA REFLEJOTERAPIA O REFLEXOLOGÍA, ES UNA TÉCNICA DE MASAJE BASADA EN LA ESTIMULACIÓN DE TERMINACIONES NERVIOSAS O DE CENTROS ENERGÉTICOS LOCALIZADOS, SOBRE TODO, EN LA CABEZA, ESPALDA, MANOS Y PIES. LOS MASAJES QUE SOBRE ESTOS PUNTOS SE HACEN, NORMALMENTE CON LOS PULGARES, ENVÍAN ENERGÍA A LAS PARTES DEL CUERPO QUE LAS NECESITAN Y LIMITA SU FLUJO A LAS QUE ESTÉN SOBRECARGADAS.

LA forma en que el organismo da señales de que algo en su interior no funciona es, habitualmente, a través del dolor. Sin embargo, aunque la parte afectada sea un órgano interno, la enfermedad también se manifiesta exteriormente: ojeras, mirada febril, manchas en la piel, posturas, etc. Estas señales son las que permiten al médico, gracias a su «ojo clínico», tener una primera aproximación al problema que sufre el paciente. Lamentablemente, la mayoría de las veces, cuando la persona afectada acude a un profesional es que lleva tiempo sufriendo la dolencia sin que ésta se haya manifestado.

La manera de saber si los órganos están debidamente equilibrados, de detectar la enfermedad incluso antes de que ésta se manifieste, es utilizar las diferentes técnicas de palpación.

▲ *Gracias a la reflexoterapia se pueden estimular las terminaciones nerviosas o centros magnéticos de nuestro cuerpo para lograr un gran bienestar.*

En reflexoterapia, las manipulaciones que se hacen sobre los puntos energéticos permiten conocer su estado de salud y, además, estimular el poder de autocuración del organismo; de modo que sus objetivos se pueden sintetizar en cinco puntos:

- Descubrir cualquier enfermedad que aún no se haya manifestado.
- Prevenir el desarrollo posterior de aquellas que se detecten.
- Aliviar los síntomas que generen los órganos o sistemas enfermos.
- Estimular la autocuración.
- Relajar los músculos y la mente, equilibrar el organismo física y psíquicamente.

EL YIN Y EL YANG

La reflexoterapia tiene, sin duda, un origen oriental. Hace más de cuatro milenios los chinos reconocieron y sistematizaron la relación entre los órganos internos y diversos puntos en la superficie del cuerpo.

El hallazgo de estos puntos son consecuencia de la concepción filosófica que tienen el taoísmo y el confucionismo acerca del hombre y el universo.

La idea de unicidad preside todo el pensamiento chino, de manera que en medicina lo importante no es curar el órgano enfermo sino sanar al paciente, ya que cuando se produce un desequilibrio energético, aunque se manifieste en uno solo de los órganos o sistemas, en realidad afecta al cuerpo entero.

Estas milenarias prácticas terapéuticas se basan en dos

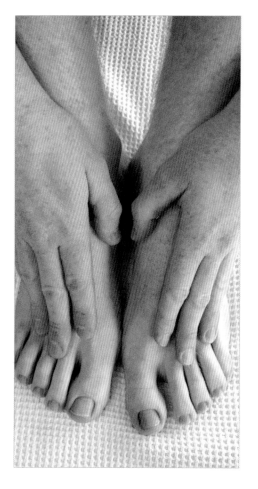

El masaje reflexológico equilibra el flujo Yin y Yang enviando a cada órgano la energía necesaria para su correcto funcionamiento.

muchas otras cosas, también es frío, contraído, interior, blando y el Yang, lo opuesto.

La salud depende del equilibrio de estas dos energías y las terapias tienen como objeto restablecer el adecuado balance a fin de estimular los mecanismos de autocuración del organismo.

La segunda teoría, la de los cinco elementos de la naturaleza que son tierra, metal, agua, madera y fuego, relaciona a éstos con órganos, sabores, emociones, partes del cuerpo y estaciones del año. Crea un complejo entramado de vínculos que responden a ciclos de creación y destrucción.

En este universo, cada hombre constituye un microcosmos que contiene todos los elementos del cosmos. En su interior circula el Chi, la energía, y los diferentes fluidos que transportan los alimentos nutricios. Los órganos están divididos en dos grupos: Yin y Yang. Los primeros son sólidos y los segundos son huecos.

Todas las personas tienen partes Yang y partes Yin que se manifiestan en lo físico y en lo emocional. Estas dos fuerzas

teorías: la del Yin y el Yang, la de los cinco elementos y la de las seis energías perversas. La primera establece que el universo y cada una de las cosas incluidas en él están regidos por dos fuerzas opuestas y complementarias: el Yin, femenino, húmedo, receptivo y oscuro; el Yang, masculino, seco, activo y luminoso. Pero no son éstas las únicas características de las dos fuerzas; el Yin, entre

suelen estar en equilibrio, pero cuando una predomina sobre la otra, se producen enfermedades o alteraciones emocionales. Su mutua interacción genera el Chi, la energía y la fuerza vital. Cada uno de los órganos Yin tiene sus funciones:

CORAZÓN: controla el sistema circulatorio, la conciencia y las

actividades mentales. Se refleja en la lengua.

PULMONES: controlan la respiración, la piel y el vello. Gobierna el Chi: su flujo, purificación y descenso. Se reflejan en la nariz.

HÍGADO: su función es el almacenamiento de la sangre y la

ÓRGANOS YING Y ÓRGANOS YANG

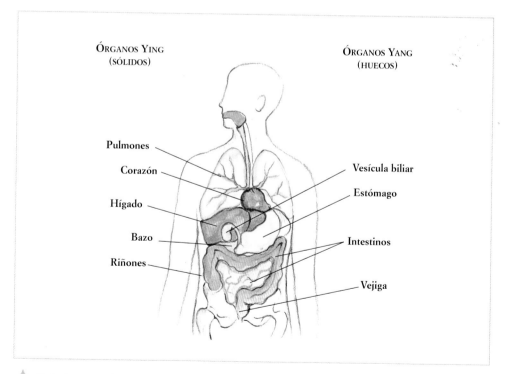

ÓRGANOS YING
(SÓLIDOS)

ÓRGANOS YANG
(HUECOS)

Pulmones

Corazón

Hígado

Bazo

Riñones

Vesícula biliar

Estómago

Intestinos

Vejiga

▲ *Cada órgano utiliza un tipo de energía más que otro; de este modo, algunos se consideran órganos Yin y otros, órganos Yang.*

regulación de la cantidad que circula. Tiene también funciones defensivas y excretoras. Se relaciona con los tendones y las uñas.

PÁNCREAS: tiene, junto con el estómago, funciones digestivas y se encarga de regular el suministro de las sustancias nutritivas en todo el cuerpo. Este cometido lo cumple dirigiendo la sangre. Se relaciona con los músculos largos y se refleja en la boca y los labios.

RIÑONES: almacenan energía, regulan el agua y la energía de los pulmones. Se relacionan con los huesos, la médula ósea, el cerebro y el pelo. Se reflejan en el pelo, las orejas y los órganos reproductivos.

TEORÍA DE LOS CINCO ELEMENTOS NATURALES

A la hora de hacer diagnósticos o de aplicar las terapias adecuadas, ya sean de reflexología, acupuntura, moxibustión o cualquier otra disciplina, la medicina tradicional china se basa en observaciones y premisas estructuradas a través de las teorías del Yin y el Yang y la de los cinco elementos. Ésta toma como principio que los llamados «elementos naturales» se ordenan en dos ciclos: uno creativo y otro destructivo.

CICLO CREATIVO

En el ciclo creativo se observa que cada uno de los elementos engendra a otro que, en el diagrama, se sitúa a su derecha. Al elemento generador se le llama madre y al generado, hijo:

- La madera, al arder, engendra el fuego.
- El fuego produce cenizas que se convierten en tierra.
- La tierra contiene minerales que conforman el metal.
- Los metales se funden en el estado líquido que corresponde al agua.
- El agua alimenta y hace crecer la madera.

Los cinco órganos principales del cuerpo humano se relacionan con uno de los cinco elementos. De esta manera tenemos las siguientes relaciones:

- CORAZÓN: fuego.
- PULMONES: metal.
- BAZO: tierra.
- HÍGADO: madera.
- RIÑONES: agua.

De la misma manera que un elemento destruye o potencia otro, la relación también se mantiene en los órganos: los riñones (agua) sofocan el corazón

▲ *La mejora de las emociones y sensaciones agradables repercute intensamente en la curación de los órganos de nuestro cuerpo.*

(fuego) y éste, a su vez, a los pulmones (metal). Siguiendo el ciclo creativo, el trabajo de los pulmones (madera) potencia el del corazón (fuego).

Se podría afirmar lo siguiente:

- La sedación del elemento hijo seda al elemento madre.
- La tonificación del elemento madre tonifica el elemento hijo.

CICLO DESTRUCTIVO

El elemento nieto es el que ha sido generado por el elemento hijo. Por ejemplo, agua (abuela) engendra madera (hijo) y éste engendra fuego (nieto del elemento agua). Según este esquema se construye el ciclo destructivo:

- El agua apaga el fuego.
- El fuego funde el metal.
- El metal corta la madera.
- La madera penetra en la tierra.
- La tierra contiene y controla el agua.

Por lo tanto, tenemos las siguentes actividades:

- La tonificación del elemento abuelo seda al elemento nieto.

- La sedación del elemento nieto tonifica al elemento abuelo.
- La enfermedad se produce cuando alguno de los elementos tiene exceso o déficit de energía.

La medicina tradicional china ha diferenciado cinco sabores que ha relacionado, a su vez, con los cinco elementos y los órganos vinculados a ellos. Después de llegar al estómago, toman diferentes direcciones:

- ÁCIDO: penetra en el hígado. Tiene una acción astringente que concentra el Chi.
- AMARGO: penetra en el corazón. Tiene una acción eliminadora que desplaza el Chi hacia abajo.
- PICANTE: penetra en el pulmón. Su acción eleva y acelera el Chi.
- DULCE: penetra en el bazo. Su acción es nutritiva; modula y suaviza el Chi.
- SALADO: penetra en el riñón. Su acción es disolver el Chi estancado.

A su vez, el desequilibrio de cada órgano se manifiesta de una manera peculiar:

- CORAZÓN: su desequilibrio se manifiesta por el eructo.
- PULMONES: su desequilibrio se manifiesta en la tos.
- HÍGADO: el desequilibrio hepático se traduce en una compulsión a hablar en exceso.
- BAZO: su desequilibrio se manifiesta en regurgitaciones ácidas.

- RIÑONES: su desequilibrio se manifiesta en el bostezo.

La forma en que los trastornos en la energía se manifiestan en los órganos Yin también es particular de cada uno de ellos: los del estómago se traducen en náuseas, vómito e hipo; los del intestino delgado y grueso se manifiestan en diarreas; el mal equilibrio de la energía que llega a la vejiga se observa en la retención o incontinencia urinarias y el desequilibrio de la vesícula produce, como síntoma, la irritabilidad y el enfado fácil.

Cada órgano rechaza algo y, además, produce un humor:

- CORAZÓN: rechaza el calor y produce sudor.
- PULMONES: rechaza el frío y produce moco nasal.
- HÍGADO: rechaza el viento y produce lágrimas.
- BAZO: rechaza la humedad y produce saliva ligera.
- RIÑONES: rechaza la sequedad y produce saliva espesa.

Como ejemplo de la aplicación práctica de estos principios, puede decirse que cuando se producen alteraciones energéticas o de piel (pulmón), no deben consumirse alimentos picantes; si el trastorno es muscular (bazo), debe evitarse todo exceso de alimentos dulces.

Según su naturaleza, los alimentos pueden alterar o producir bloqueos en ciertos órganos. Para corregirlos, es fundamental conocer la relación de los sabores con los cinco elementos.

En ocasiones, las reglas se establecen bajo el esquema del ciclo destructivo: los alimentos salados (riñón, agua) no son recomendables para problemas de la sangre (corazón, fuego) porque el agua apaga el fuego.

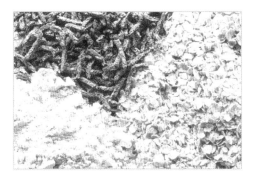

Las relaciones son complejas pero el conocerlas puede facilitar el diagnóstico de un paciente y entender el entramado bajo el cual se establece la reflexoterapia como arte curativo.

LOS FACTORES EMOCIONALES

Las investigaciones realizadas en el último siglo han puesto de relieve algo que los médicos chinos saben desde hace milenios: que las emociones tienen una gran incidencia en los estados de salud, en la capacidad de autodefensa del organismo y en la evolución, favorable o desfavorable, de las enfermedades.

La medicina tradicional china reconoce siete estados emocionales básicos que se asocian a los cinco elementos: alegría, tristeza, cólera, reflexión (preocupación, obsesión), miedo y terror.

Siguiendo el ciclo creativo de los cinco elementos, puede deducirse que:

- La alegría y la excitación conducen a la preocupación y a la obsesión.
- La preocupación conduce a la tristeza y a la inquietud.
- La inquietud conduce a la ansiedad.
- La ansiedad conduce a la irritabilidad
- La irritabilidad conduce a la excitación.

Según el ciclo destructivo, se deduce que:

- La alegría combate a la tristeza.
- La meditación combate la ansiedad.
- La tristeza combate la ira.
- El miedo combate la alegría.
- La cólera combate la meditación y la obsesión.

La relación entre las emociones y los órganos Yin queda establecida por el vínculo con el elemento que los representa. Mejorando el estado de salud de éste, se obtiene también una mejora en la emoción correspondiente y viceversa.

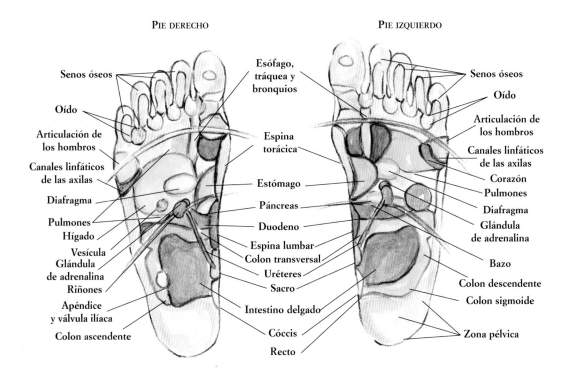

PIE DERECHO   PIE IZQUIERDO

Senos óseos
Oído
Articulación de los hombros
Canales linfáticos de las axilas
Diafragma
Pulmones
Hígado
Vesícula
Glándula de adrenalina
Riñones
Apéndice y válvula ilíaca
Colon ascendente

Esófago, tráquea y bronquios
Espina torácica
Estómago
Páncreas
Duodeno
Espina lumbar
Colon transversal
Uréteres
Sacro
Intestino delgado
Cóccis
Recto

Senos óseos
Oído
Articulación de los hombros
Canales linfáticos de las axilas
Corazón
Pulmones
Diafragma
Glándula de adrenalina
Bazo
Colon descendente
Colon sigmoide
Zona pélvica

Cada órgano utiliza un tipo de energía más que otro; de este modo, algunos se consideran órganos Yin y otros, órganos Yang.

▶ *Cada emoción se relaciona con un órgano específico y las alteraciones que éstos sufran repercutirán sobre el estado anímico y viceversa. La cura del órgano elimina la emoción negativa así como el alivio de la tensión psíquica actúa beneficiosamente sobre el órgano.*

TEORÍA DE LAS SEIS ENERGÍAS PERVERSAS

La idea de que los cambios climáticos alteran emocionalmente al hombre no sólo no es nueva sino que, más aún, seguramente ha sido mucho mejor constatada en las épocas en que el hombre vivía a la intemperie. Hoy, los adelantos técnicos nos resguardan del frío o del calor, de la lluvia o las tormentas eléctricas, pero ello no quita que los cambios atmosféricos del entorno no afecten a nuestro organismo. Prueba de ello es que quienes sufren de afecciones reumáticas, por ejemplo, a menudo saben que va a llover porque sus huesos así lo indican, o que la medicina oficial tenga en consideración una serie de síntomas, entre los que se pueden citar los dolores de cabeza, clasificados bajo el rótulo de meteoropatías; es decir, afecciones producidas por los cambios climáticos.

La teoría de las seis energías perversas clasifica las alteraciones climáticas excesivas que afectan negativamente al organismo: viento, calor, fuego (es decir, calor muy intenso), humedad, sequedad y frío. Pueden actuar independientemente o en conjunto.

El paso de una estación a otra conlleva un cambio climático según la zona geográfica en la que se produzca. En algunos lugares las precipitaciones se dan en otoño, en tanto que en otros se producen en primavera. El frío y el calor se corresponden, sobre todo en las latitudes muy altas y muy bajas, con el invierno y el verano; las sequías suelen tener su correspondencia con el otoño. Lo cierto es que los casos de úlcera, por ejemplo, se agravan con la llegada del otoño; las alergias suelen aparecer

CARACTERÍSTICAS PROPIAS DE LAS DOLENCIAS POR EXCESO DE FRÍO

- Aparición de fiebre en su transcurso.
- Dolor corporal debido a contracturas de los vasos periféricos.
- Escalofríos.
- Orina clara y abundante.

en primavera y en otoño, los constipados y enfriamientos, en invierno, y los golpes de calor o insolaciones, en el verano.

A la hora de aplicar la teoría de las seis energías perversas debe tenerse muy en cuenta las influencias del entorno y del clima en la persona a la cual se esté tratando. Cada una de estas energías tiene unas características especiales y produce un tipo de enfermedad determinado:

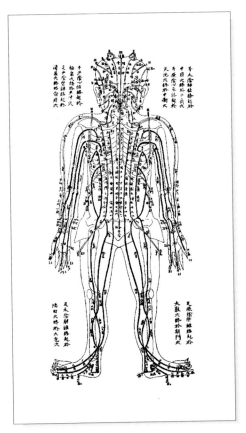

El origen de la reflexoterapia es oriental y milenario. Los médicos chinos establecieron una relación entre los órganos internos y diversos puntos en la superficie del cuerpo.

CARACTERÍSTICAS PROPIAS DE LAS DOLENCIAS
POR EXCESO DE CALOR

- Ardor en el cuerpo, fatiga, sed.
- Sudor abundante.
- Respiración corta, agitada.
- Orina amarilla y escasa.
- Heces líquidas o semilíquidas.
- Si la dolencia está asociada a la humedad, entonces pueden presentarse náuseas, sensación de ahogo y opresión en el pecho, falta de apetito, cansancio muscular en brazos y piernas.

CARACTERÍSTICAS PROPIAS DE LAS
DOLENCIAS POR EXCESO DE FUEGO
PERVERSO

- Los síntomas son similares a los que se producen por exceso de calor, pero más intensos.
- Debe tenerse en cuenta que un exceso de calor vinculado a una agitación emocional puede convertirse en fuego perverso.

CARACTERÍSTICAS PROPIAS DE LAS
DOLENCIAS POR EXCESO DE
HUMEDAD

- Gusto dulce en la boca. Saliva pegajosa. Sensación de pastosidad.
- Sensación de opresión y pesadez en la cabeza.
- Náuseas, vómitos y sensación de opresión en el pecho.

- Sensación de estar lleno, que se manifiesta en la zona epigástrica.
- Pesadez en piernas y brazos.
- Las enfermedades por exceso de humedad tienden a ser largas o a cronificarse.
- Pueden ser de carácter infeccioso e, incluso, epidémico.

El exceso de calor produce sed, fatiga y ardor en nuestro organismo.

▲ *El exceso de humedad en el ambiente produce dolencias muy características.*

CARACTERÍSTICAS PROPIAS DE LAS DOLENCIAS POR EXCESO DE SEQUEDAD
- Suelen desembocar en fuego perverso.
- Afectan, en primer lugar, a los pulmones.
- Consumen grandes cantidades de agua del cuerpo.

CARACTERÍSTICAS PROPIAS DE LAS DOLENCIAS POR EXCESO DE VIENTO
- Se manifiestan súbitamente y duran poco tiempo.
- Suelen estar acompañadas por síntomas de frío, calor o humedad.
- Se pueden manifestar por contracturas faciales que produzcan deformidad en el rostro, que aparecen de golpe.
- Producen dolores en las articulaciones, fatiga, jaquecas, taponamiento de la nariz y escasez de sudor. A veces el paciente no suda en absoluto.

Tanto la teoría del Yin y Yang como la de los cinco elementos y la de las seis energías perversas son la base de las prácticas terapéuticas chinas; ya sea de la acupuntura, reflexoterapia, moxibustión o de cualquier otra. La reflexología se basa, en muchas de sus variantes, en la medicina tradicional china, de ahí que su conocimiento sea indispensable a la hora de efectuar masajes terapéuticos sobre puntos reflejos.

Por una parte estas teorías, permiten hacer diagnósticos amplios en los que se vinculen diferentes elementos a la enfermedad. Siguiendo sus pautas se puede comprender el origen de diversos síntomas o manifestaciones de las diferentes dolencias.

Por otra parte, al abarcar al organismo como a un todo en el cual cada órgano tiene diversas correspondencias con los demás, hacen posible que se trate cada déficit o exceso energético no sólo desde el punto reflejo que corresponde al órgano desequilibrado sino, además, por medio de la tonificación o sedación

Una de las ventajas de la reflexoterapia consiste en la posibilidad de tratar diversos trastornos leves sin necesidad de recurrir a fármacos que, a la larga, pueden afectar negativamente en la salud general.

de los demás sistemas que con él se corresponden.

Constituye una manera diferente de entender la salud y la enfermedad que abre, además, posibilidades que van mucho más allá que el simple hecho de tomar un medicamento. De ahí proviene su interés.

Aunque la visión china del cuerpo y la enfermedad sea diferente de la occidental, no es necesario excluir una u otra sino, por el contrario, lo mejor es complementarlas. En muchas ocasiones sucede que algunos pacientes que siguen un tratamiento médico tradicional no mejoran de su afección y es el propio médico quien les recomienda acudir a un profesional de la medicina altenativa china. En cambio, en otras ocasiones, conviene combinar los dos tipos de tratamientos.

Los masajes terapéuticos sobre puntos reflejos que se llevan a cabo en la reflexoterapia están basados en la medicina tradicional china.

CAPÍTULO 2

Historia de la reflexoterapia

LA RESPUESTA INSTINTIVA AL DOLOR ES MASAJEAR LA PARTE AFECTADA. CUANDO UN NIÑO SE GOLPEA, SU MANO SE DIRIGE AUTOMÁTICAMENTE A LA ZONA DOLORIDA A FIN DE OBTENER ALIVIO. NADIE LE HA ENSEÑADO QUE CON ESO EL DOLOR REMITIRÁ; SIN EMBARGO ESA CONDUCTA FORMA PARTE DE LO QUE LLAMAMOS INSTINTO. OTRO TANTO HACEN LOS ANIMALES: SUELEN LAMERSE LAS ZONAS DOLORIDAS AUNQUE EN ELLAS NO HAYA HERIDAS EXTERNAS. HAY UNA RAZÓN QUE EXPLICA ESTE COMPORTAMIENTO: LA PRESIÓN O FRICCIÓN EJERCIDA POR LA MANO O, EN EL CASO DE LOS ANIMALES POR LA LENGUA O FROTARSE CONTRA OTRA PARTE DEL CUERPO, INDUCE AL CEREBRO A AUMENTAR LA PRODUCCIÓN DE ENDORFINAS, COLOQUIALMENTE LLAMADAS «HORMONAS DEL BIENESTAR» U «HORMONAS DE LA FELICIDAD».

ESTA cualidad de los masajes ha sido detectada hace miles de años. Posiblemente los hombres primitivos ya conocieran los beneficios de friccionar las zonas afectadas, aunque sus conocimientos no llegaran a relacionar el efecto que los masajes pudieran causar, además, en zonas distantes del cuerpo.

Los primeros datos concretos acerca del uso de la reflexoterapia se remontan al siglo XXIV a. C. En la tumba de Ankmahor, también llamada Tumba de los Médicos, en Egipto, se ha encontrado una pintura que muestra a cuatro personas: dos de ellas recibiendo masajes en pies y manos, y otras dos aplicándolos. Los jeroglíficos que acompañan el dibujo explican los buenos efectos que esta práctica tiene sobre la salud y comentarios que se refieren al carácter indoloro de la técnica.

Pero aunque las pruebas concretas del uso de la reflexología se han obtenido en Egipto, algunos historiadores afirman que el masaje podal, una de las técnicas reflexológicas más comunes actualmente, ya era practicado hace más de cinco mil años en lugares geográficamente tan alejados como Kenia, China, India, Ceilán o algunas tribus de indios americanos.

Se sabe que los llamados «masajes orientales» han tenido difusión en gran parte de Asia antes de la era cristiana. Algunos autores explican que, en la Edad Media, muchos médicos centroeuropeos utilizaban sistemas de presión sobre puntos del pie y de la mano para calmar los efectos de las dolencias más comunes. Al parecer, el célebre escultor Benvenuto Cellini (1500-1571) se hacía dar masajes en los miembros superiores e inferiores para combatir sus dolores reumáticos.

En el intento de rastrear el origen de esta técnica, y partiendo del conocimiento de la reflexoterapia en Italia y en China, muchos expertos han relacionado ambos datos llegando a la conclusión de que, posiblemente, quien aprendiera la técnica en su viaje a Oriente y la enseñara posteriormente en Europa fuera Marco Polo. Este explorador

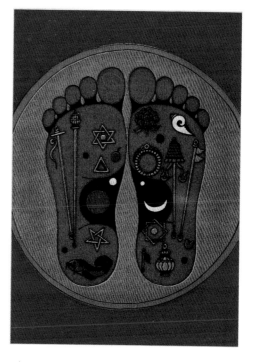

▲ *La reflexología podal existe desde la antigüedad, como muestran estos pies del dios hindú Visnú.*

veneciano viajó en 1271 a China y allí permaneció dieciséis años. Se calcula que fue después de su regreso cuando en la Europa medieval comenzaron a hacerse tratamientos de reflexología podal.

Durante siglos esta técnica cayó, prácticamente, en el olvido. Tal vez fuera utilizada en pequeñas comunidades remotas, pero sin lograr el lugar que le corresponde en la cultura occidental.

Una de las ramas del conocimiento de las áreas reflejas en Occidente,

▲ *En el acto reflejo, es la médula quien envía al músculo la señal que le obliga a contraerse, evitando así la fuente que produce dolor que, en este caso, es el clavo.*

la sensación de calor es enviada por los nervios sensitivos a la médula y ésta envía, por la vía motora, una respuesta que hará contraer los músculos del brazo para que la mano rompa el contacto con el objeto que pueda dañarla. Simultáneamente, la información llega por otra vía al cerebro y a la conciencia y llega después de que la mano haya sido retirada.

Posteriormente, a finales del siglo XIX, en Europa y Estados Unidos comenzó a hablarse de dolores reflejos y a efectuar diagnósticos de algunas enfermedades que afectaban a los órganos, interpretando dolores que aparecían a uno o ambos lados de la columna vertebral.

relativamente reciente, ha estado desvinculada de la medicina tradicional china. Hacia la primera mitad del siglo XVIII, el médico escocés Robert Whytt observó que la médula espinal estaba involucrada en actos reflejos como la tos y el parpadeo. Si un objeto se dirige directamente a la cara, por ejemplo, los ojos se cerrarán involuntariamente al instante. En este acto los músculos no ejecutan una orden enviada por el cerebro sino por la médula espinal. Si se toca una superficie que puede quemar,

En 1886, el médico August Weihe describió los que, más tarde, se conocerían con el nombre de «Puntos de Presión de Weihe». Este médico homeópata descubrió que en pacientes a los que había recetado el medicamento homeopático llamado Nux Vómica, presentaban una extrema sensibilidad a la presión táctil en un punto situado debajo de las costillas derechas. De este modo determinó que esa pequeña zona estaba directamente vinculada al hígado. Su punto de vista resulta interesante ya que no toma, como base para el establecimiento de los puntos, las bases de la medicina tradicional china sino, exclusivamente, su propia experiencia clínica.

Weihe determinó 270 puntos y llegó a la conclusión de que todas las dolencias, ya sea de órganos o de sistemas, pueden ser percibidas mediante la presión en estos puntos incluso cuando estén en su fase de latencia y no hayan presentado ningún tipo de síntomas. El uso de esta técnica de presión que trabaja sobre las zonas reflejas tiene una gran importancia, ya que permite hacer un diagnóstico precoz que posibilite la cura de muchas enfermedades o el rápido equilibrio del órgano o sistema afectado.

Hoy, la medicina tradicional utiliza el conocimiento de los puntos reflejos a la hora de auscultar a un paciente. Uno de los más conocidos es el que se produce en la espalda, del lado derecho, ante los espasmos en la vesícula biliar o la presencia de cálculos. En ocasiones suele involucrar el hombro y hasta el brazo entero. Este dolor, sin embargo, aunque indica posibles trastornos de vesícula, puede cesar súbitamente aunque el estado del órgano empeore. Naturalmente, estos puntos están ahora mejor analizados y definidos y forman parte del conocimiento que debe tener un buen internista.

EL RENACIMIENTO DE LA REFLEXOTERAPIA

La reaparición de la reflexoterapia está necesariamente ligada a un nombre: William H. Fitzgerald, doctor en otorrinolaringología que ejercía sus funciones en el St. Francis Hospital de Hartford, Connecticut (EE.UU.). Este médico descubrió la variante china de este arte y dedicó gran parte de su vida a difundirlo en la comunidad sanitaria de su país.

Las investigaciones realizadas por el Dr. Fitzgerald en este campo le llevaron a dividir el cuerpo en diez zonas reflejas longitudinales y tres transversales, tal como explicó en su libro *Reflexoterapia o el alivio doméstico del dolor*.

Algunos de sus colegas, como Edwing Bowers, George Starr White y Joseph Selebi Riley, siguieron trabajando en este campo; en especial este último, que siguió desarrollando técnicas con su esposa.

Junto con ellos trabajaba Eunice D. Ing-ham, fisioterapeuta, que fue quien empezó a hacer las primeras correspondencias entre los diversos órganos y los pies. Comprobaba y apuntaba cuidadosamente cada una de las relaciones que encontraba y, en un principio, aplicó pequeñas bolitas de

▲ *En la observación del rostro, podemos detectar muchas afecciones.*

algodón sobre los puntos sensibles a la palpación para que, al caminar, efectuaran un masaje y estimularan los órganos enfermos. De esta manera pudo observar las diferentes reacciones que se presentaban según los puntos masajeados así como el efecto que producían las estimulaciones en relación a su duración. Gracias a ello le fue posible medir adecuadamente el tiempo de estímulo en cada punto para tonificar el órgano con él relacionado y, poco a poco, fue sentando las bases para una correcta estimulación sobre los puntos del pie hecha con el pulgar. A este método, recuperado de antiguas prácticas, Eunice Ing-ham le llamó reflexología podal.

DISCIPLINAS QUE TRABAJAN SOBRE LOS PUNTOS REFLEJOS

Si bien es cierto que en la práctica médica estos puntos, como se ha dicho, son útiles al médico a la hora de hacer un diagnóstico, también lo es que, por lo

general, la medicina tradicional utiliza otros elementos para auscultar a un enfermo. Hay, sin embargo, ciertas prácticas terapéuticas que se valen casi exclusivamente de ellos, así como de señales externas específicas, a la hora de averiguar el grado de salud o enfermedad de un paciente o el origen de su malestar. Clasificándolas por la zona del cuerpo que ausculten, pueden citarse:

NARIZ: en los años treinta se puso de moda la reflexoterapia endonasal, que consiste en diagnosticar el estado de todo el organismo a través de la mucosa rinofaríngea.

SECCIÓN SAGITAL DE CAVIDAD NADAL

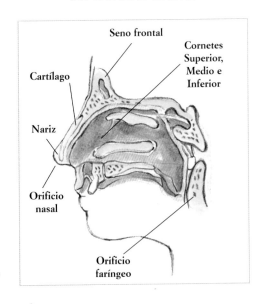

Seno frontal

Cornetes Superior, Medio e Inferior

Cartílago

Nariz

Orificio nasal

Orificio faríngeo

▲ *La mucosa que recubre la nariz y la faringe es un elemento que ha sido utilizado en los años treinta para diagnosticar dolencias relacionadas con otros órganos.*

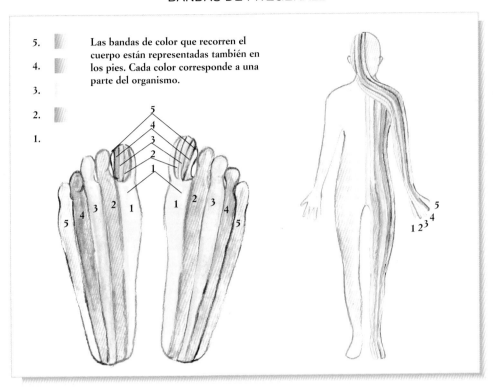

5. Las bandas de color que recorren el cuerpo están representadas también en los pies. Cada color corresponde a una parte del organismo.
4.
3.
2.
1.

Las bandas de Fitzgerald dividen el cuerpo humano en diez sectores longitudinales. Las que llegan a un lado de la cabeza parten de la mano del lado opuesto.

LAS ZONAS ANÁTOMO-TOPOGRÁFICAS DE FITZGERALD

William H. Fitzgerald dividió el cuerpo humano en diez bandas longitudinales que partían de cada uno de los dedos de los pies. Cada banda representa una zona corporal, de modo que los órganos que se encuentren en su trayectoria estarán representados en el pie, en el dedo del cual parta esa banda o en algún punto del recorrido de ésta.

La cabeza, como se podrá ver en la figura, no responde a este esquema; las líneas que llegan a ésta no parten de los pies sino de las manos. Además de las bandas verticales, hay tres transversales que ayudan a delimitar mejor aún las zonas reflejas. La cabeza, con todos los órganos y sistemas que contiene, está representada en la punta del pie, en la zona de los dedos; el tercio superior del tronco en el segundo cuarto del pie, comienza desde los dedos; el tercio

ÁREAS DE CORRELACIÓN

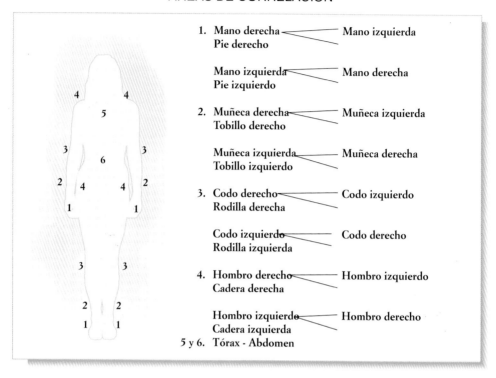

1. Mano derecha — Mano izquierda
   Pie derecho

   Mano izquierda — Mano derecha
   Pie izquierdo

2. Muñeca derecha — Muñeca izquierda
   Tobillo derecho

   Muñeca izquierda — Muñeca derecha
   Tobillo izquierdo

3. Codo derecho — Codo izquierdo
   Rodilla derecha

   Codo izquierdo — Codo derecho
   Rodilla izquierda

4. Hombro derecho — Hombro izquierdo
   Cadera derecha

   Hombro izquierdo — Hombro derecho
   Cadera izquierda

5 y 6. Tórax - Abdomen

Las áreas de correlación se aplican, básicamente, a los miembros superiores e inferiores. En este dibujo se observa que existe correlación contralateral y correlación lateral.

inferior del tronco está representado en el tercer cuarto del pie, y las piernas, en el primer cuarto, comenzando por el talón.

En la figura donde se muestran las zonas de Fitzgerald, sólo se han dibujado las de medio cuerpo a fin de facilitar su comprensión.

LOS REFLEJOS CRUZADOS

Las zonas reflejas mantienen la correspondencia lateral con el pie del cual parten hasta llegar a la altura del cuello. Allí se cruzan y pasan al lado opuesto de la cabeza; es decir, la parte derecha de la cabeza está representada en el pie izquierdo, y la izquierda, en el pie derecho. La certeza

Conexiones con el pie divino de Buda.

de esta afirmación se comprueba fácilmente al observar las alteraciones que se producen frente a una hemiplejia: si la zona dañada es el hemisferio cerebral derecho, la parte del cuerpo que queda paralizada es la izquierda y viceversa.

La mitad derecha de la cabeza, por ejemplo, está representada en el dedo gordo del pie izquierdo, y la izquierda, en el del pie derecho. Sin embargo, los dedos 2° y 3°, que se corresponden con los ojos, como el 3° y 4° que se corresponden con los oídos, obedecen a una representación cruzada y a otra lateral que obedece a la forma peculiar en que las fibras que inervan los órganos del oído y la visión se conectan con los centros nerviosos superiores.

Este es un punto en que los expertos aún no se ponen de acuerdo: hay quienes utilizan la lateralidad para corregir con los masajes podales las deficiencias visuales o auditivas y otros que, por el contrario, utilizan los reflejos cruzados. De ahí que se diga que responden a ambos tipos de esquemas. Lo sensato, en todo caso, es que el masajista compruebe cuáles son los puntos que proveen una mejoría más notable. Por otra parte, es necesario recordar que para estimular o sedar las diferentes estructuras que se alojan en el cráneo, es más recomendable utilizar los puntos reflejos de la mano.

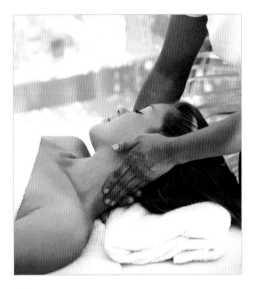

▲ *La parte derecha de la cabeza está representada en el pie izquierdo, y la izquierda, en el pie derecho.*

Antes de iniciar el masaje podal, conviene que el masajista averigüe si la persona es diestra o zurda. Si éste fuera el caso, deberá estar atento a las reacciones del paciente, ya que en este tipo de personas pueden presentarse manifestaciones curiosas relacionadas con la lateralidad.

LAS ÁREAS DE CORRELACIÓN

Se llaman áreas de correlación a aquellas que tienen una correspondencia o relación recíproca. Estas correlaciones se observan en algunas partes del organismo, más habitualmente en los miembros y con relación a las articulaciones. Partiendo de estas

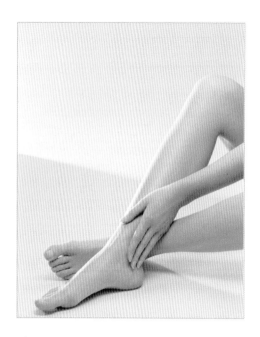

▲ *Si tenemos una lesión en un tobillo, se debe palpar el tobillo sano y comparar las sensaciones que nos producen los dos.*

existe una lesión intensa, la manifestación refleja puede afectar a los miembros homónimos contra laterales; es decir: si se produce una lesión en la mano, pie, codo u hombro derechos, la manifestación puede presentarse en la mano, pie, codo u hombro izquierdos. Teniendo en cuenta las relaciones laterales y contralaterales, es posible trabajar con lo que se llama triángulo de ayuda. Por ejemplo, para una fractura de codo, se deberá trabajar el otro codo (correlación contralateral) y la rodilla del mismo lado (correlación lateral). La manipulación de estas dos zonas actuará benéficamente sobre el codo afectado.

Es necesario buscar la zona exacta en la que se refleje el área afectada; si el lugar donde se ha producido la lesión es un tobillo, se palpará con cuidado el tobillo sano buscando el punto en el que haya una mayor sensibilidad o cualquier bulto o anomalía y otro tanto se hará en la mano del mismo lado que el tobillo enfermo. Una vez encontrado el punto reflejo, se dará sobre él un masaje suave hasta que la molestia en el lugar del masaje (no en el lugar luxado) remita. Estos masajes se pueden repetir dos o tres veces al día durante quince minutos.

relaciones, se establecen puntos de conexión que facilitan el trabajo en el caso de tener que realizar vendajes, escayolas, inmovilizaciones u otras alteraciones que impidan tratar directamente la zona, como en el caso de heridas inflamaciones o esguinces. Las áreas de correlación dan lugar a otras relaciones generales que se pueden utilizar aplicando la ley de la unilateralidad, en casos de lesiones leves.

Estas áreas se interrelacionan mutuamente, pero hay, además, otras áreas de correspondencia además de las laterales: son las contralaterales que se explican por la ley de la simetría. Si

LEY DE LA GENERALIZACIÓN

El organismo es una unidad y, como se ha dicho, cualquier alteración en alguna

de sus partes repercute necesariamente en otras zonas.

La razón es que el cuerpo responde a cualquier problema tratando de compensar o adaptarse lo más posible, de evitar los dolores o molestias que el trastorno genere, de ahí que en lesiones muy intensas o dolorosas pueda verse afectado todo el organismo cumpliéndose así la ley de la generalización.

Si en la planta de uno de los pies, por ejemplo, se forma una ampolla o una llaga, se intentará que al andar esa zona se apoye durante el menor tiempo posible para evitar el dolor o se arqueará el pie para que el zapato no toque la herida. Se tome una solución u otra, la manera de andar cambiará; se darán pasos muy cortos con el pie afectado y muy rápidos y más largos

▷ *Los pies y las manos tienen entre sí áreas de correlación.*

con el sano. En este trabajo estarán implicadas las caderas y la columna; el cuerpo tenderá a inclinarse hacia adelante o hacia el costado, los músculos de la zona inferior de la espalda deberán trabajar más para sostener el torso y la espalda perderá el estado de relajación natural. Si la lesión no es pasajera, sino que dura durante cierto tiempo, el organismo termina adoptando una posición antinatural que afecta tanto a la columna como a los órganos internos.

Ante cualquier lesión o trastorno, es necesario examinar los planos simétricos a fin de detectar los efectos secundarios que puedan haber sido originados por el problema y, además, trabajar sobre éstos a fin de mejorar la lesión inicial.

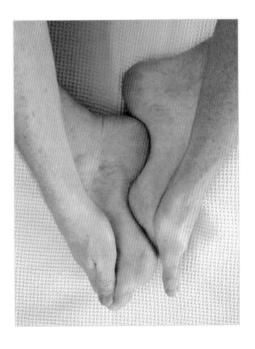

CAPÍTULO 3

Preparación y elementos del masaje

EL MASAJE REFLEXOLÓGICO, SEA EN LA ESPALDA, OREJAS, MANOS O PIES, NO SUELE ENTRAÑAR NINGUNA GRAVEDAD EN LOS ORGANISMOS SANOS; SON MANIPULACIONES QUE ACTIVAN LA CIRCULACIÓN DE LA SANGRE Y ENVÍAN MÁS O MENOS ENERGÍA A LOS DIFERENTES ÓRGANOS, SEGÚN LA NECESIDAD QUE SE PRESENTE. COMO NO COMPROMETEN SERIAMENTE EL ORGANISMO Y SON RELATIVAMENTE SENCILLOS DE REALIZAR PARA QUIEN CONOCE LOS PUNTOS A TRATAR, PUEDE ENTRENARSE EN ELLOS PRÁCTICAMENTE CUALQUIER PERSONA.

ENTRE todas las modalidades, la más delicada es la de los masajes en la columna vertebral; pero si el masaje se aplica con cuidado, no hay ningún riesgo. La persona que aplica el masaje debe tener en sus dedos la suficiente sensibilidad como para detectar al tacto los bultos o zonas a tratar. El que un lugar determinado produzca molestia o sensibilidad en el paciente es síntoma de que el órgano relacionado con ese punto tiene problemas y que es susceptible de mejorar mediante el masaje. Sin embargo, en caso de que el dolor fuera agudo, no debería insistir sin previa autorización o consejo de un médico.

LA RELACIÓN MASAJISTA-PACIENTE

La piel es la frontera entre lo que es cada ser humano y el mundo; es lo más exterior de nuestro cuerpo y a menos que haya confianza con alguien, el hecho de ser tocado produce, por lo general, una inmediata reacción de rechazo. Prueba de ello es que si se va en metro y dos personas se sujetan al pasamano de forma que ambas manos se toquen, el impulso es retirarse inmediatamente y evitar el contacto.

En el masaje, se da la circunstancia de que quien lo recibe es tocado por una persona a menudo desconocida, y por muy abierto que uno se pueda mostrar a que eso ocurra, en el fondo siempre hay puntos de resistencia que deben vencerse.

El masajista debe tener conciencia de ello y mostrar una actitud que despierte confianza en la persona sobre la que va a trabajar; y aunque sea él quien se mueva, quien utilice las manos mientras el sujeto que lo recibe mantiene una actitud pasiva, debe entender que en el masaje trabajan ambos; que el cuerpo que está siendo masajeado puede colaborar, si el clima es propicio, o bloquearse totalmente, con lo cual el masaje resultará completamente inservible.

Aunque los amasamientos, presiones, tableteos o golpecitos se hagan sobre

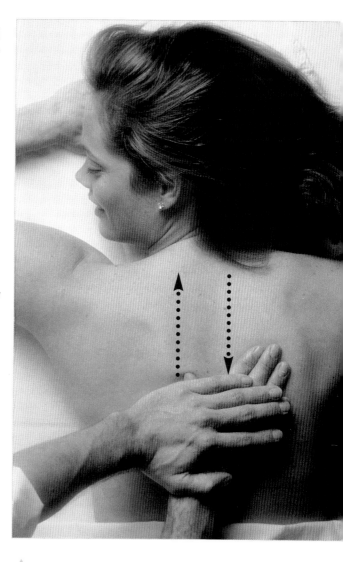

El masaje reflexológico de la espalda es el más delicado. Es necesario tener en cuenta que no consiste en forzar la posición de las vértebras, sino en estimular mediante suaves golpes rítmicos el punto que se quiera tratar.

un cuerpo físico, en realidad se está trabajando con una persona que también piensa y siente; de ahí que la relación entre el terapeuta y el paciente merezca la debida atención y cuidado.

Hay pacientes que prefieren el silencio; que se tumban sobre la camilla y cierran los ojos y la boca durante toda la sesión. Otros, por el contrario, prefieren sentarse e iniciar una charla acerca de sus dolencias o de cualquier otra cosa, como si quisieran retrasar el comienzo del masaje. En cada caso el terapeuta deberá evaluar la actitud de su paciente e intentar comprender cuál es su estado de ánimo. ¿Teme que le duela? ¿Le da vergüenza? ¿Desconfía de mi capacidad? Etc. Esto le servirá para comprenderle como persona, para entender las reacciones que pueda tener a lo largo de la sesión y, sobre todo, para buscar la manera de relajarle.

Si el terapeuta percibe que una persona tiene miedo, debe tener mucho cuidado a la hora de comunicarle las anomalías que pudieran palpar sus dedos a fin de no despertarle ansiedad. Si, por el contrario, el paciente se muestra curioso y le interroga, debe responder con toda claridad a las preguntas que dicho paciente le haga.

Cada terapeuta deberá buscar la forma de trato que más se adecue a su personalidad, sin descuidar en ningún momento lo que el paciente le demande. Si éste quiere participar activamente en la sesión, indicando dónde le duele, lo que siente ante cada presión o sencillamente preguntando, tanto

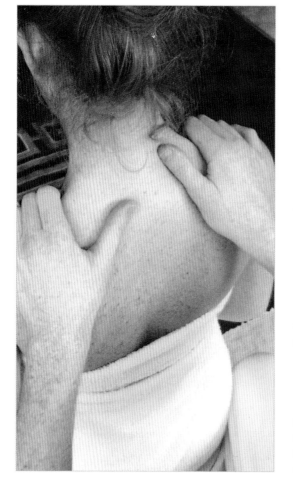

◄ *La relación que se establezca entre el masajista y el paciente es fundamental para que la curación se produzca. El hombre es una unidad psicofísica, de modo que el contacto afectivo es tan importante como el físico.*

Es importante observar las reacciones que tenga el paciente durante el masaje. Su expresión, en ocasiones, puede ser más reveladora que la información obtenida con la palpación.

mejor porque muestra un deseo de mejorar, de curarse y de tomar parte activa en el restablecimiento de su salud. Si, por el contrario, prefiere estar callado, habrá que respetar su silencio. Muchos se concentran a fin de sentir lo que el terapeuta está haciendo, lo cual es también beneficioso porque implica un acercamiento y conocimiento de su propio cuerpo.

Es muy importante crear una atmósfera favorable y afectuosa en la que sea básico mantener la atención, ya que durante el proceso, hay momentos en los que el paciente puede entrar en una fase o punto crucial al disolverse las tensiones traumáticas sufridas en el pasado. En ese momento necesitará una gran dosis de intimidad y confidencialidad para solucionar sus conflictos.

El terapeuta debe estar preparado para la aparición de llantos imprevisibles, sollozos, suspiros, risas nerviosas, brotes de ira, congoja, emoción o alegría. Deberá saber contenerlas permitiendo que el paciente se desahogue y, a la vez, se dirija hacia un estado de paz y sosiego.

△ *El ambiente en el cual se realice el masaje debe ser aséptico y, a la vez, cálido. En él es fundamental la higiene y el orden, así como pequeños detalles que hagan el entorno estético y agradable.*

La comprensión, en este caso, o el saber escuchar son fundamentales. De nada sirve intentar equilibrar el cuerpo si el alma está en zozobra. Hay que tener presente, además, que los nudos del cuerpo, las contracturas y desequilibrios producen otro tanto en la psiquis, de modo que cuando se solucionan, hay un cambio emocional que puede manifestarse repentinamente y que debe ser guiado por el terapeuta.

La posición del cuerpo dependerá, lógicamente, de la terapia que se aplique, pero siempre deberá resultar cómoda para el paciente.

Salvo en los casos de espondiloterapia, en los cuales el trabajo se hace sobre la columna vertebral con el paciente boca abajo, es conveniente que el terapeuta tenga siempre a la vista la cara girada del paciente. La razón es que, mientras se desarrolla la sesión, podrá leer en ella el efecto que causan las manipulaciones en cada punto. Podrá detectar inmediatamente un gesto de dolor, de alivio, de temor o de reserva y cuando lo vea, será el momento de interrogar al paciente acerca de lo que está sintiendo y dónde.

En el masaje podal, conviene poner cojines debajo de las rodillas a fin de evitar tensiones en la zona lumbar del paciente. Al tener las piernas apoyadas y ligeramente elevadas, la columna descansará de forma cómoda y natural. Además, con ello se evitará el estiramiento muscular, los pies estarán sueltos y distendidos y proporcionarán un mejor acoplamiento de las manos del terapeuta a su estructura.

La temperatura ambiente debe ser cálida pero no sofocante; sobre todo si el masaje se hace sobre las vértebras ya que, en este caso, el paciente estará con el torso desnudo. Hay que tener en cuenta que si se consigue la relajación, la temperatura corporal desciende y eso podría dar sensación de frío. Por

este motivo conviene cubrir con una manta el resto del cuerpo, incluido el pie sobre el cual no se está trabajando, toda vez que se haga masaje podal.

Si el masaje se realiza adecuadamente de forma que active la circulación, el paciente sentirá oleadas de calor, localizadas en diferentes lugares según los puntos que se estén tratando.

En ocasiones, cuando se trabaja sobre una zona conflictiva, se desencadena una intensa sensación de frío en la zona que se corresponda con ese punto. En estos casos esa sensación deberá ser neutralizada antes de acabar la sesión.

Un elemento que puede ayudar a que el paciente se relaje es la música. A este fin hay diferentes grabaciones que pueden ser utilizadas. En ellas, se

▶ *Las manos son el instrumento que estará en contacto con el paciente, de ahí que deban estar perfectamente limpias y cuidadas. Es importante que al iniciar el masaje las manos tengan una temperatura normal, ni muy frías ni muy calientes.*

combinan diversos sonidos naturales como el canto de los pájaros, el murmullo de un arroyo, el sonido del viento o el del mar. También el terapeuta puede elegir la que le guste y ponerla a volumen bajo al comenzar el masaje.

Al paciente se le recomendará quitarse todo tipo de prenda que oprima cualquier parte del cuerpo: cinturones, ligas, etc. También deberá quitarse el reloj para que no interfiera en el campo electromagnético y, de ser posible, cualquier adorno de metal.

Las manos del terapeuta deberán estar impecables y desnudas, sin anillos ni pulseras. En cuanto a la posición a adoptar, deberá ser cómoda ya que si se producen tensiones durante el masaje, éstas se transmitirán a través de las manos al paciente.

Nunca debe olvidarse que, a través del tacto, se comunican también las emociones. Por esta razón es necesario que el terapeuta conozca métodos de relajación o meditación a fin de que, si tiene algún problema personal que pudiera interferir con su trabajo, pueda ser olvidado o aparcado en el momento de aplicar un masaje.

LA SENSIBILIDAD DE LA PIEL

Los puntos reflejos tienen una sensibilidad mayor que otras zonas;

sobre todo si el órgano que se vincula a ellos está desequilibrado o enfermo. Cuando se hace presión sobre estos puntos, el paciente puede sentir que se le está clavando una uña, aunque en realidad el masajista esté haciendo presión con la yema del dedo. Ese dolor está producido por las cristalizaciones existentes en la zona refleja.

El masaje debe disolver esas cristalizaciones progresivamente y cuando esto ocurre, el paciente puede tener diversas sensaciones: dolor punzante, cosquilleo que se extiende en toda la zona, calor, etc.

En cuanto a todo lo que los dedos del terapeuta pueden sentir durante el masaje, hay una amplia variedad de sensaciones. En ocasiones, es como si debajo de la piel hubiera pequeñas partículas como arroz o sal, que se deslizaran al pasar sobre ellas el dedo haciendo una ligera presión. También puede sentir zonas endurecidas, como si el tejido estuviera comprimido, o zonas inflamadas, edematosas resultantes de la acumulación de líquidos. Toda alteración que se encuentre es importante e indica trastornos en la zona que se vincula con ese punto, por ello el terapeuta deberá prestarles la máxima atención.

Hay quienes opinan que las verrugas y los lunares a menudo representan traumas del pasado. Lo cierto es que

indican una debilidad en el órgano con el que se corresponden, que no debe ser tampoco pasado por alto.

LA PRESIÓN EXACTA

La reflexoterapia es una técnica que busca armonizar el organismo del paciente y, en ningún caso, deberá ser tomada como «terapia de choque». Las presiones no deben resultar dolorosas o agresivas para el paciente ya que ello redundaría en un desequilibrio aún mayor para su cuerpo, ya de por sí deteriorado y en un rechazo de la terapia.

Es necesario proceder con suma cautela; si bien es cierto que para efectuar las curas es necesario masajear los puntos sensibles, se hará con suma paciencia y sin pretender disolver los nudos o eliminar el dolor por medio de presiones o golpes exageradamente fuertes. El masaje será

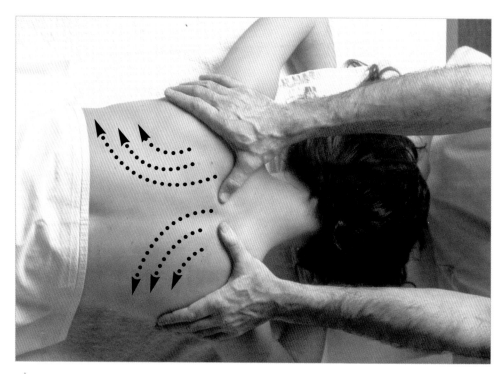

🔺 *El trabajo sobre los puntos dolorosos deberá hacerse con paciencia y cuidado; pretender disolver cada nudo a la fuerza es un error que podría tener consecuencias negativas.*

más efectivo si se emplea más tiempo en la sesión que si se pretende solucionar el problema de golpe.

Si hay que escoger entre pecar por exceso o por defecto, siempre será preferible hacer una presión inferior a la óptima que una superior; con las primeras, no se logrará el efecto deseado pero, al menos, no serán contraproducentes en tanto que una presión o fuerza excesiva sí podría llegar a serlo. Llevar al paciente a un estado de dolor genera una situación de angustia y tensión desde todo punto de vista contraproducente.

Por otra parte, si la presión es mayor de lo aconsejable y produce dolor, el paciente tendrá una crisis curativa más violenta, en caso de que hiciera efecto positivo, o esperara a sentirse muy mal para decidirse a soportar nuevamente la tortura del masaje.

Cada ser humano tiene su propio umbral de dolor, de modo que no podrá basarse en la experiencia de otros pacientes a la hora de aplicar la presión sobre los puntos sensibles. Deberá adaptarse a cada caso concreto, leyendo en las expresiones del paciente si la fuerza que está empleando es la correcta. El cometido esencial del masaje es adaptarse a cada caso concreto, buscar el grado de complicidad necesaria para actuar terapéuticamente sin llegar a invadir o comprometer la integridad del paciente.

Otro factor importante a tener en cuenta, que justifica la contraindicación de las presiones excesivas, es conocer que la red periférica nerviosa está en la piel, en la dermis situada inmediatamente debajo de la epidermis. La piel es un órgano sensorial por medio del cual se percibe la presión, la temperatura y el dolor. A través de ella se expresa el sistema nervioso autónomo y eso hace que las diferentes situaciones emocionales hagan variar su resistencia eléctrica condicionando la secreción de sus glándulas. Esta es una característica que ha sido aprovechada para la construcción de los detectores de mentiras, que se basan en estos principios.

En general, los receptores nerviosos se encuentran a una profundidad aproximada de un milímetro. En algunas zonas en las que la epidermis es más gruesa, como por ejemplo en el talón, están a una mayor profundidad.

▶ *El uso de un material lubricante, como aceite o talco, permite un mejor deslizamiento de las manos del masajista.*

En esas terminaciones nerviosas hay un potencial de energía electromagnética que irradia hasta el más sutil tejido orgánico, de modo que no es necesario ejercer una desmedida presión para que los efectos curativos se produzcan.

Los estímulos excesivos retraen al paciente, le inhiben, por ello debe aplicarse la presión según las características individuales de la persona que se está tratando; tener en cuenta su umbral de dolor, su disposición, su estado emocional, etc.

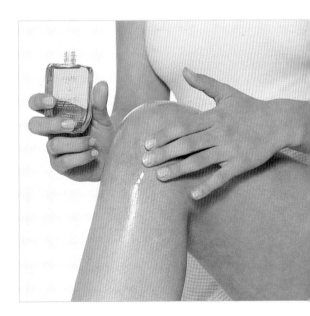

▲ *La piel es un órgano que tiene la propiedad de absorber las sustancias con las que está en contacto incorporándolas al torrente sanguíneo. Partiendo de esta afirmación, se recomienda el uso de diferentes aceites terapéuticos a fin de acelerar la curación.*

SUSTANCIAS QUE AYUDAN AL MASAJE

En la práctica de los masajes, es habitual que se utilicen diferentes sustancias: cremas, aceites, talco, etc., y en reflexología se considera importante que así sea porque la sustancia que se use puede cumplir diferentes cometidos:

- Permite el deslizamiento de las manos durante el masaje y evita la irritación en la piel del paciente.
- Sirve de aislante entre las manos del masajista y el paciente sin que el primero pierda sensibilidad a la hora de palpar la superficie a tratar. Psicológicamente, la

presencia de un elemento entre su cuerpo y las manos del masajista, por tenue que ésta sea, le hace sentir más protegido y seguro.

- Las sustancias que se utilicen pueden ser absorbidas por la piel ejerciendo un efecto terapéutico.

Muchos masajistas emplean vaselina o polvos de talco en sus masajes; con ello consiguen, sin duda, un buen deslizamiento para las manos. Sin embargo, teniendo en cuenta que la piel puede absorber sustancias curativas o relajantes, la mayoría prefiere utilizar otros productos que puedan cumplir este cometido.

Hay en el mercado numerosas cremas, algunas de las cuales aseguran efectos sensacionales. Sin embargo, es necesario tener mucho cuidado con ellas ya que la piel es un tejido vivo, que

respira. Si los poros se tapan, pierde su capacidad de eliminar toxinas y no puede oxigenarse.

Los aceites minerales, si bien no producen estas obstrucciones, tienen un bajo poder de penetración y carecen de las propiedades curativas de otros aceites.

Lo mejor es utilizar los llamados aceites esenciales; productos vegetales que contienen los principios activos de las plantas con que fueron fabricados y que sirven, cada uno de ellos, para sanar diferentes trastornos.

Algunos de ellos son estimulantes; otros, en cambio, producen sedación o relajación en la zona.

La primera vez que se realice el masaje a una persona, conviene probar el producto en una pequeña porción de

Aunque en el mercado se pueden encontrar muchas sustancias preparadas industrialmente, es aconsejable que cada masajista elabore sus propios aceites.

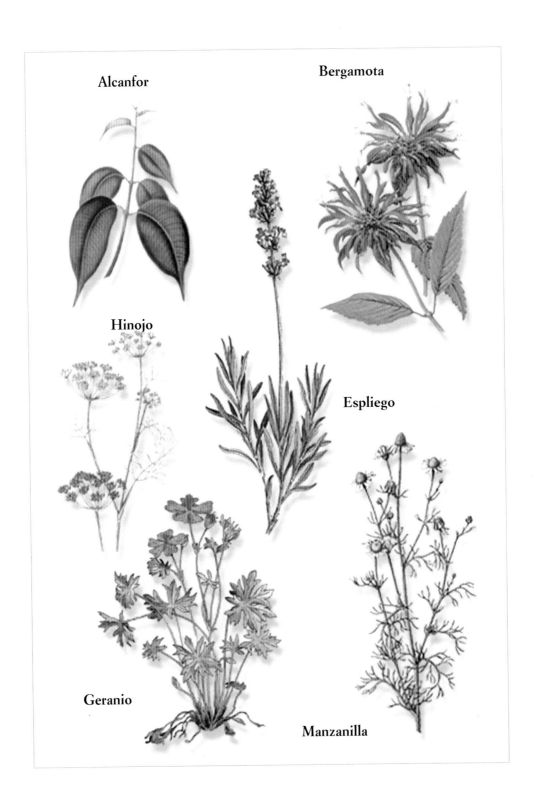

Alcanfor

Bergamota

Hinojo

Espliego

Geranio

Manzanilla

piel a fin de comprobar si no provoca reacciones alérgicas.

Entre los aceites esenciales más comunes, se pueden citar:

ALBAHACA. Tiene propiedades antivirales, antisépticas, antiespasmódicas y antibacterianas.

BERGAMOTA. Es refrescante, y ayuda a calmar los estados de ansiedad. Ayuda a calmar el estrés y la fatiga. También alivia los trastornos pulmonares y bronquiales.

CIPRÉS. Tiene cualidades antiespasmódicas, antirreumáticas y astringentes.

CANELA. Es un antiséptico fuerte que se debe utilizar con mucho cuidado ya que, en grandes cantidades, puede irritar la piel.

EUCALIPTO. Es un poderoso antiséptico que alivia los trastornos bronquiales. Sin embargo, es necesario utilizarlo con muchísima precaución ya que hay personas que sin saberlo son alérgicas a esta planta con lo cual podrían tener una reacción asmática.

GERANIO. Es tónico, astringente, estimulante, analgésico, diurético y antidepresivo.

HINOJO. Apropiado para los trastornos glandulares y digestivos.
JENGIBRE. Este aceite ha sido usado hace miles de años en China. Es analgésico, estimulante y febrífugo.

LAVANDA. Es un calmante natural para el sistema nervioso. Actúa como analgésico, diurético, cicatrizante y antiséptico.

LIMÓN. Ayuda a calmar los estados de ansiedad y es, además, un excelente antirreumático.

MANZANILLA. Tiene propiedades hipotensoras, analgésicas, sedantes, tónicas, antidepresivas, antialérgicas, diuréticas y cicatrizantes.

ROMERO. Es un aceite intenso que estimula el sistema circulatorio. Además, es sudorífico, cicatrizante, hepático, antirreumático y antiespasmódico.

SALVIA CLARA. Ayuda a reducir la inflamación de la piel; además, reduce

Manzanilla

los síntomas premenstruales. Sin embargo, este aceite no debe ser usado por mujeres embarazadas ni mezclarlo con alcohol.

PREPARACIÓN DE ACEITES PARA MASAJES

Existen varias maneras de aprovechar al máximo las múltiples propiedades de los aceites esenciales. Aunque se pueden utilizar diluidos en otro aceite neutro, lo ideal es que cada terapeuta prepare sus propios aceites teniendo en cuenta sus diferentes cualidades a fin de emplearlos según los problemas que presente cada paciente.

Como son absorbidos por la piel, deberán estar muy diluidos para no provocar reacciones adversas. Se recomienda utilizar un aceite base ligero como el de girasol, soja o maíz, ya que los más nutritivos, como el de jojoba, sésamo u oliva, son más densos.

Hay varios criterios que deben seguirse a la hora de hacer la mezcla. Por un

▶ *Los aceites esenciales poseen propiedades beneficiosas para el organismo y son absorbidos por la piel.*

lado, deberá tenerse en cuenta las propiedades de las esencias que se van a combinar. Conviene utilizar las de las mismas cualidades y preparar aceites analgésicos, antirreumáticos, antisépticos, etc.

Por otro, también deberá tener en cuenta su fragancia ya que los aromas proporcionan efectos curativos. Deberán evitarse, lógicamente, aquellas mezclas que produzcan olores desagradables.

Por lo general, los aceites provenientes de plantas de una misma familia armonizan muy bien. De este modo, se puede mezclar sin problemas, por ejemplo, el aceite de limón con el de naranja o el de bergamota.

La proporción más adecuada para estos preparados es de un 94% de aceite neutro y hasta un 6% de aceite esencial, en caso de que se usen tres esencias diferentes. En caso de emplearse una sola, la proporción deberá ser del 97% de aceite neutro y hasta 3% de aceite esencial.

El aceite de germen de maíz, en una proporción del 5%, actúa como conservante.

Los preparados deberán guardarse en una botella de vidrio de color, en un lugar fresco y seco.

A la hora de hacer una mezcla, conviene saber que los aceites que provienen de plantas de una misma familia aromatizan muy bien.

FRECUENCIA Y DURACIÓN DEL MASAJE

No hay problema si se quiere aplicar un masaje a diario si así se desea, o en días alternos; sin embargo, siempre es conveniente dejar que el organismo depure, recicle y excrete las sustancias disueltas y movilizadas por la acción de la manipulación. Al respecto, es necesario recordar que si la dolencia es crónica, el organismo tardará más tiempo en expulsar los desechos que si

Unas pocas gotas de cada principio agregadas a un aceite neutro serán suficientes. Es un error pensar que se conseguirán mejores efectos con una concentración mayor.

se trata de una dolencia aguda. Por norma, es recomendable esperar al menos veinticuatro horas antes de dar un nuevo masaje o bien 2 ó 3 días si se tratase de una dolencia que llevara ya mucho tiempo.

El terapeuta deberá evaluar todos los factores para establecer la frecuencia y duración más aconsejables. Dos o tres masajes semanales dan óptimos

Bergamota

resultados, pero todo depende del organismo del paciente.

En cuanto a la duración del masaje, podría establecerse como norma habitual una hora, aunque el terapeuta deberá adecuar este tiempo a las características de cada caso.

En niños pequeños el masaje será más breve. Sus cuerpos son diminutos y se recorren con rapidez. Por otra parte, no tienen paciencia y aguantan muy mal las sesiones largas.

En el caso de ancianos con múltiples alteraciones, es preferible trabajar en sesiones más cortas pero más frecuentes. Sus pies están enjutos y tienen menos consistencia muscular, con lo que la acción del masaje quedará más limitada. Si presentan zonas alteradas, éstas deberán ser trabajadas con cuidado y progresivamente.

MEZCLAS PARA DOLENCIAS ESPECÍFICAS

Planta	Cantidad	Planta	Cantidad
Dolores musculares / Tensión nerviosa		**Reuma**	
Eucalipto:	16 gotas	Salvia:	12 gotas
Bergamota:	8 gotas	Lavanda:	10 gotas
Romero:	16 gotas	Olíbano:	16 gotas
Mejorana:	8 gotas	Mejorana:	10 gotas
Salvia:	24 gotas	Pimienta negra:	8 gotas
Sándalo:	8 gotas	Melisa:	20 gotas
Romero:	16 gotas	**Calambres musculares**	
Albahaca:	8 gotas	Enebro:	16 gotas
Enebro:	20 gotas	Albahaca:	30 gotas
Lavanda:	8 gotas	Lavanda:	14 gotas
Lavanda:	14 gotas	**Tónico para masajes**	
Enebro:	8 gotas	Romero:	16 gotas
Ciprés:	8 gotas	Lavanda:	35 gotas
Romero:	8 gotas	Mejorana:	16 gotas
Celulitis / Artritis y reuma		Bergamota:	15 gotas
Hinojo:	24 gotas	Melisa:	16 gotas
Enebro:	10 gotas	Geranio:	5 gotas
Enebro:	8 gotas	Romero:	10 gotas
Eucalipto:	12 gotas	**Tono muscular**	
Romero:	16 gotas	Pimienta negra:	24 gotas
Mejorana:	12 gotas	**Mala circulación**	
Salvia:	16 gotas	Lavanda:	16 gotas
Romero:	16 gotas	Romero:	12 gotas
Hinojo:	10 gotas	Melisa:	16 gotas
Ciprés:	8 gotas	Pimienta negra:	16 gotas
Romero:	10 gotas	Enebro:	24 gotas
Lavanda:	14 gotas		
Manzanilla:	24 gotas		
Romero:	16 gotas		
Manzanilla:	12 gotas		

Hay dolencias en las cuales el masaje reflexológico está totalmente contraindicado. Una de ellas es la tromboflebitis. En los días posteriores al masaje, es probable que el paciente sienta una mayor necesidad de beber agua. Este síntoma indica que el cuerpo ha empezado a eliminar toxinas.

Enebro

Es importante recalcar que el masaje siempre debe ser íntegro. No es recomendable tratar sólo la parte dolorida o afectada; el equilibrio debe distribuirse a todo el cuerpo.

En cada sesión deberá hacerse primero un diagnóstico, palpar las zonas, porque en un mismo paciente pueden cambiar de un día para otro según se vaya recuperando.

CONTRAINDICACIONES PARA EL MASAJE REFLEXOLÓGICO

Hay algunas dolencias en las cuales el masaje de los puntos reflejos está contraindicado. Al respecto hay que aclarar que no se deberán hacer mientras dure el trastorno, pero que una vez superado podrá ser recibido sin problema por el paciente.

Por precaución, si hubiera la más mínima sospecha de que alguna de estas condiciones pudiera estar presente, será mejor abstenerse de hacer el masaje hasta no contar con el diagnóstico preciso de un facultativo.

Las contraindicaciones son muy pocas y, en general, podrá comprenderse perfectamente la razón por la cual un masaje podría empeorar la situación.

FLEBITIS, TROMBOFLEBITIS O TROMBOSIS

Se denomina flebitis a la inflamación de una vena y suele estar asociada a infecciones en los órganos próximos al transcurso de ésta. Cuando se produce, el interior de la vena se estrecha haciendo más difícil el paso de la sangre por ella. El estrechamiento favorece el estancamiento de la sangre, por lo que ésta podría coagularse (trombosis) y provocar con ello una tromboflebitis. En este caso, el coágulo podría ser comparado a un tapón que impidiera el retorno de la sangre venosa y, con él, la eliminación de los productos de desecho del tejido en el que está situada la vena.

El gran peligro que entraña una tromboflebitis está dado por la posibilidad de que el coágulo viaje en el torrente circulatorio, llegue al corazón y, de ahí, se dirija a los pulmones fijándose en el sistema circulatorio pulmonar y provocando con ello una repentina falta de oxígeno que puede llegar a ocasionar la muerte.

Otra complicación posible sería la proliferación de gérmenes en la sangre lo cual podría dar lugar a una infección generalizada o septicemia. Con el

masaje podría activarse la circulación y provocar, con ello, un accidente cardio-respiratorio.

Melisa

Los riesgos que se corren a la hora de hacer un masaje podal a una persona que tenga tromboflebitis son realmente graves; sobre todo si la vena que está afectada es un tronco de cierto calibre, en cuyo caso el peligro de que el trombo se propague o se incruste en el pulmón provocando una trombosis pulmonar es mayor.

Debe tenerse en cuenta que el trombo o coágulo no permanece como una estructura estática: puede crecer o desintegrarse o, en el mejor de los casos, retraerse.

Si la tromboflebitis se presenta en pies o piernas, el masaje puede propiciar su desplazamiento. Las venas aumentan su diámetro a medida que están más cerca del corazón, de manera que una vez movilizado el trombo por medio del masaje, podría alcanzar más fácilmente los pulmones. Una vez ahí, los vasos se

estrechan, lo que favorecería un estancamiento del coágulo y la consiguiente parada cardio-respiratoria.

URGENCIAS

Todo reflexoterapeuta debería abstenerse de hacer un masaje en aquellas urgencias que pudieran requerir hospitalización: traumatismos graves, accidentes cardiovasculares, peritonitis, hemorragias internas, etc. Hacer un masaje reflejo bajo estas condiciones es un riesgo que en ningún caso se debe correr.

INFECCIONES AGUDAS CON FIEBRE ALTA

En las infecciones que cursen con procesos febriles graves tampoco se debe hacer ningún masaje reflexológico. La fiebre aumenta las combustiones inorgánicas y, por tanto, la eliminación de catabolitos y toxinas bacterianas.

Las toxinas nocivas circulantes irritan los centros reguladores de la temperatura, de ahí que sea preciso abstenerse de todo masaje en estos casos.

La temperatura considerada como fiebre oscila entre 38° C y 43° C. Si llegara a superar estas cifras, el paciente morirá en unas pocas horas por destrucción del tejido nervioso. Por ello hay que procurar, en todo momento, que la fiebre no pase de los 40° C ya que con la temperatura, las neuronas que tienen un gran componente graso comienzan a sufrir alteraciones. Esa es la razón por la cual, a temperaturas muy altas, aparecen cuadros convulsivos.

Las temperaturas que no alcanzan los 39° C sirven para defenderse de las infecciones, por eso no es necesario bajarlas.

Un masaje reflexológico podría aumentar aún más la temperatura y provocar un pico elevadísimo en el cual el paciente podría entrar en convulsión.

Por otro lado, el masaje podría enmascarar el proceso, cosa que tampoco es conveniente.

GANGRENA

La gangrena es la muerte de un tejido o parte de un órgano producida por causas físicas, químicas, tóxicas, infecciosas, circulatorias o nerviosas. De ahí que sea totalmente peligroso realizar un masaje en estas condiciones. En caso de que fuera una gangrena infecciosa, la

embarazada que tenga riesgo de aborto o que presente síntomas que pudieran hacer sospechar de ello.

Todo masaje actúa relajando, por un lado, y estimulando por otro. Si se estimula la zona uterina, las contracciones que determinarían el aborto pudieran aumentar en frecuencia o en intensidad.

manipulación podría provocar una proliferación de gérmenes que comprometieran aún más el estado general del paciente.

AMENAZA DE ABORTO

Bajo ninguna circunstancia deberá darse un masaje reflejo a una mujer

Pero esta situación se puede presentar aún sin tocar los puntos relacionados con el sistema reproductor; al respecto cabe recordar las leyes de los cinco elementos que nos hacen saber que ciertos órganos pueden estimularse o sedarse indirectamente, actuando sobre el elemento madre o el elemento nieto.

Amaro

HERIDAS Y ÚLCERAS VARICOSAS

Si existen zonas en carne viva, el masaje reflexológico podal no es adecuado por una cuestión de asepsia. En caso de úlceras varicosas, éstas comportan un riesgo que no debe correrse ya que podría existir un pequeño coágulo que se desplazara produciendo los trastornos graves ya descritos.

INFECCIONES MICÓTICAS

En caso de masaje podal, es necesario tener en cuenta que que si hay una infección producida por hongos mediante el masaje puede extendérsela hacia el otro pie o, incluso, contagiar a otro paciente. Lo mismo puede decirse de los hongos que aparecen también en otras zonas del cuerpo aunque con mucha menos frecuencia.

LOS BENEFICIOS DEL MASAJE REFLEXOLÓGICO

A medida que se expliquen las diferentes técnicas que se pueden encuadrar dentro del masaje reflexológico, se podrá constatar que los efectos beneficiosos que provee son múltiples y que están relacionados con todos los sistemas. Pero estos, sin embargo, podrían agruparse en diez puntos:

- Induce a un profundo estado de bienestar y relajación.
- Estimula la energía vital y libera los bloqueos.
- Mejora la circulación sanguínea, tanto en los órganos específicos que se tratan a través de los puntos reflejos correspondientes, como en sentido general, oxigenando todo el organismo.
- Equilibra el sistema nervioso; permite una mejor sinapsis entre las neuronas, lo cual revierte directamente en el comportamiento afectivo y de relación con el entorno.
- Depura el organismo liberándolo de las toxinas.
- Favorece la oxigenación y nutrición celular.
- Reduce el estrés y ayuda a una mejor y más eficaz adaptación al medio.
- Normaliza las funciones orgánicas, glandulares y hormonales.

Espliego

- Estimula el sistema inmunitario, lo cual ayuda a prevenir enfermedades y combatir infecciones.
- Alivia dolores de diversa etiología.

Hay múltiples testimonios que explican que la terapia reflexológica hace que los pacientes se sientan rejuvenecidos, activos, joviales y alegres. Como energiza todo el organismo, permite una mayor resistencia a los esfuerzos, una mayor fuerza vital.

REACCIONES DIVERSAS ANTE EL MASAJE

Cuando se hace un masaje reflexológico, se activa en el organismo la circulación de la energía, lo cual genera la movilización de las toxinas. Luego, deberán ser eliminadas por diferentes sistemas excretores: glándulas sudoríparas, orina, etc. Esta eliminación se produce durante las veinticuatro horas a partir de la finalización del masaje y en casos en los cuales haya dolencias más profundas, severas o crónicas, es posible que se prolonguen por más tiempo.

Durante este periodo, el cuerpo puede tener diversas reacciones a los estímulos proporcionados por el masaje.

Beber mucha cantidad de agua es una forma de depurar el organismo.

Algunos de ellos, seguramente pasarán desapercibidos; otros se traducirán en un alivio de los dolores, en una clara mejoría. Pero también es posible que se puedan presentar síntomas claros de la depuración interna que el organismo está realizando.

Entre las reacciones más comunes se pueden citar:

- Una emisión de orina mayor que la habitual, con color y olor más intenso.
- Energía, vitalidad y vigor superiores. Sensación de estar más despejado y activo.
- Sed o hambre mayores que lo habitual.

- Cansancio generalizado, sobre todo en casos crónicos. Necesidad de reposar. En este sentido, no hay que alarmarse; el proceso de depuración también es un trabajo que realiza el organismo y que requiere, sobre todo en enfermedades que llevan mucho tiempo, un gasto considerable de energía y una necesidad de volver a equilibrar órganos y sistemas. De ahí que no se disponga, a veces, de fuerzas para realizar otras tareas.
- Sensación de profunda relajación. Sueño reparador.
- Evacuación de heces más cuantiosas, líquidas u oscuras.
- Disolución de gases.
- Mayor sudoración.
- Dolores esporádicos, que cesan sin necesidad de utilizar analgésicos. Esto se explica porque a menudo el masaje impone la reacomodación y recolocación de músculos, huesos y órganos, sobre todo si estos se encontraban desplazados. Eso puede producir dolores. En ocasiones pueden deberse a una mayoractivación de glándulas y órganos que habían mantenido, durante tiempo, un comportamiento deficiente.
- Signos de acatarramiento, estornudos, expectoraciones leves, que pueden estar acompañados de unas décimas de fiebre. Normalmente se deben a la limpieza y purificación del sistema respiratorio.

Hinojo

Estos síntomas suelen presentarse de forma aislada; es decir, que cada paciente experimentará diversas alteraciones según su estado previo al masaje. Si una persona, por ejemplo, ha padecido estreñimiento crónico, es muy prol que a las pocas hora masaje tenga evacu más abundantes qu tienen por finalidad limpiar los intestinos Todos estos síntomas indicarán que la curación está en marcha, que el organismo ha reaccionado al masaje y deberán interpretarse como algo positivo.

Alcanfor

RELACIÓN DEL PIE CON EL CUERPO

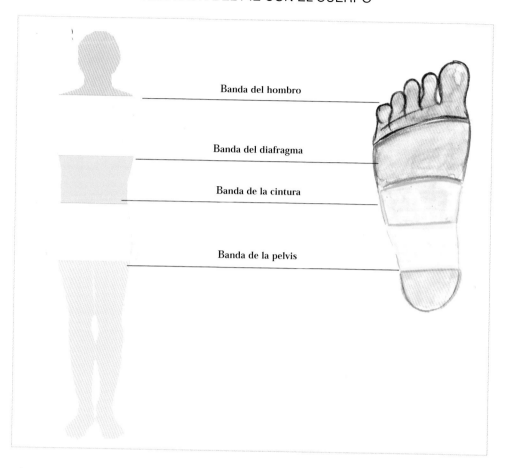

Banda del hombro

Banda del diafragma

Banda de la cintura

Banda de la pelvis

La planta de los pies se divide en cinco zonas longitudinales, cada una de las cuales se corresponden con las bandas de Fitzgerald.

Para ayudar al proceso de depuración conviene tomar mucho líquido; sobre todo en los primeros días que siguen al masaje. El agua es un disolvente y un vehículo que facilitará la expulsión de las toxinas a través del sudor, las heces y la orina. En estos momentos, se recomienda tomar unos dos litros de agua al día. Transcurrida una semana, no será necesario que la ingesta de líquido sea tan grande; las últimas investigaciones en medicina aclaran que un exceso de líquidos puede ser contraproducente.

Técnicas reflejas

EN CUALQUIER DISCIPLINA, EL CONOCIMIENTO TEÓRICO DE UNA TÉCNICA NO ES SUFICIENTE PARA QUE ESTA SEA APLICADA ADECUADAMENTE; POR LO GENERAL ES NECESARIA UNA PRÁCTICA CONSTANTE Y UN ESPÍRITU INVESTIGADOR A FIN DE ADQUIRIR PERICIA A LA HORA DE UTILIZARLA. EN EL CASO DEL MASAJE REFLEXOLÓGICO, EL MERO CONOCIMIENTO DE LOS PUNTOS Y SUS CORRESPONDENCIAS NO CAPACITA PARA HACER UN TRABAJO EFECTIVO; ES IMPRESCINDIBLE QUE EL MASAJISTA TENGA CONOCIMIENTOS DE ANATOMÍA, FISIOLOGÍA Y PATOLOGÍA Y QUE SEPA, ADEMÁS, CÓMO LOS DIFERENTES ELEMENTOS SE TRANSFORMAN EN ENERGÍA ASÍ COMO EL SISTEMA POR EL CUAL ESTA CIRCULA. TAMBIÉN DEBE CONTAR CON UNOS MÍNIMOS CONOCIMIENTOS DE PSICOLOGÍA Y, DESDE LUEGO, CON UNA GRAN EMPATÍA PARA SABER CÓMO ESTÁ RECIBIENDO EL PACIENTE SU MASAJE.

LA buena disposición, la curiosidad y la capacidad de observación son, a menudo, tan importantes como los conocimientos teóricos ya que son las cualidades que, a la larga, determinan un buen «ojo clínico». Es necesario dar a la teoría y a la técnica la justa importancia, sin obsesionarse por ninguna de ellas. Si se centra la atención en los conocimientos y la preocupación está puesta básicamente en la técnica, probablemente se pasen por alto las reacciones que esté experimentando el paciente, con lo cual el trabajo dejará mucho que desear.

Aunque cada paciente tiene una estructura que le es propia, es posible trazarse previamente un plan de trabajo que sirva para todos ellos; no con el propósito de tener que cumplirlo a rajatabla sino, más bien, a modo de guía. De este modo

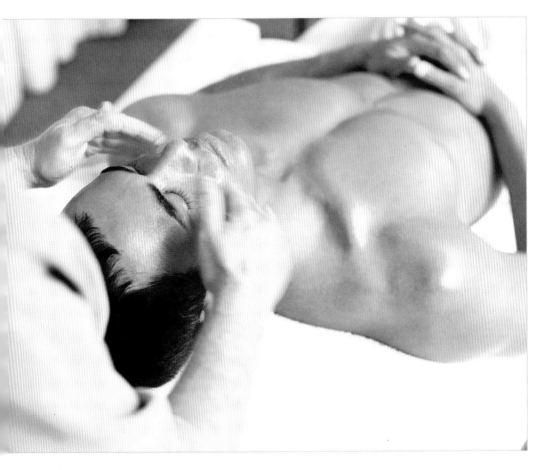

▲ *A cada paciente hay que aplicarle un tipo de masaje, para lo cual son necesarios conocimientos de medicina tradicional china, acupuntura, aromaterapia y fisiología.*

se liberará parte de la atención que se podrá disponer para observar al paciente y centrarse en lo que los dedos están palpando.

Lo importante es prestar una atención global al paciente, haciendo que la secuencia del tratamiento sea lógica y natural, evitando cualquier dispersión que rompa la concentración en el trabajo.

En las técnicas reflejas se utilizan básicamente dos tipos de movimientos circulares y, en el caso de la espondiloterapia, dos tipos de golpes:

- MOVIMIENTO CIRCULAR TONIFICANTE. Se efectúa en el sentido de las agujas del reloj. Tiene un efecto estimulante. Se debe efectuar en deficiencias energéticas.

- MOVIMIENTO CIRCULAR DISPERSANTE. Se efectúa en sentido contrario a las agujas del reloj. Produce un efecto sedante. Se efectúa cuando se observan excesos energéticos.

- GOLPECITOS TONIFICANTES. Son golpes vibratorios de ritmo rápido. Tienen efecto estimulante.Se efectúan frente a deficiencias energéticas.

- GOLPECITOS DISPERSANTES. Son golpes vibratorios de ritmo lento. Tienen efecto sedante. Se efectúan ante un exceso de energía.

Para saber a ciencia cierta qué tipo de masaje conviene en cada caso, es necesario tener amplios conocimientos de medicina tradicional china, de acupuntura, de anatomía y fisiología. Es posible utilizar un instrumento de electroacupuntura que mide, mediante células fotoeléctricas, la actividad energética de cada zona del cuerpo. Sin embargo, su utilización no es simple ya que para emplearlo eficazmente es necesario conocer muy bien los meridianos que se usan en la medicina china.

Es necesario tener presente que las zonas reflejas funcionan energéticamente en sentido inverso a las del resto del organismo, por lo tanto, si se necesita tonificar un órgano es necesario dispersar la energía y viceversa. Debido a su complejidad, es

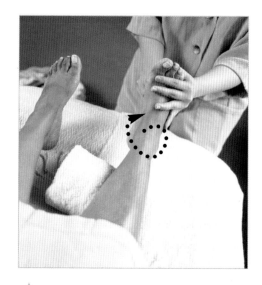

Antes de empezar el masaje propiamente dicho, conviene mover el pie del paciente, hacerlo rotar suavemente, a fin de conseguir su máxima relajación.

conveniente que antes de utilizar estas técnicas, que son las más eficaces del masaje reflejo, se adquieran los suficientes conocimientos como para no cometer errores.

MOVIMIENTO DE LA ENERGÍA

Las corrientes energéticas tienen un continuo movimiento rotatorio que permite que su regulación sea automática. Cuando la energía llega al grado máximo de expansión, se condensa y cuando llega al máximo de condensación, se expande. Por esta razón, cuando se produce un bloqueo, el movimiento natural no se realiza con normalidad.

Es importante conseguir un movimiento equilibrante que regule y armonice la zona desalojando los excesos energéticos y llenando los vacíos.

Para que un masaje resulte en general tonificante, como el que se podría aplicar a personas apáticas, a quienes sufren un cansancio excesivo o ante cuadros de tono muscular o energético bajo, es necesario imprimirle un tono activo y dinámico; ya sea en la forma de utilizar el pulgar para hacer movimientos circulares o en los golpecitos en el caso de la espondiloterapia.

En personas estresadas, hiperactivas o excitadas, por el contrario, será necesario aplicar un masaje sedante que se consigue con un ritmo cadencioso, pausado. Este puede comenzarse con un ritmo más rápido que entre en simpatía con el movimiento energético del paciente, para ir descelerando poco a poco, de forma regular, obligando con ello a bajar también el ritmo energético interior de la persona a la cual se aplica el masaje. En la medida en que esta persona se vaya tranquilizando, el masaje se hará aún más lento.

Si se emplea la lógica, es fácil realizar el tratamiento adecuado a cada situación que se presente en las diversas áreas reflejas. Si un punto está sobrecargado o tenso (es decir, si es especialmente doloroso), lo habitual es que se deba a un estancamiento o bloqueo energético, circulatorio, nervioso, por toxinas o por cristalizaciones. Estos trastornos sensibilizan el tejido de la zona.

En este caso, lo que debe hacerse es un masaje dispersante y sedante, que neutralice la hiperfunción de la zona. Se

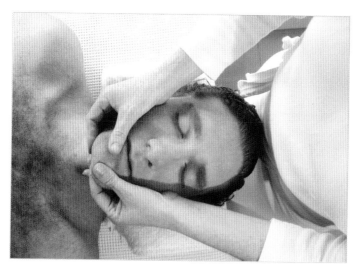

Es necesario tener en cuenta que el cuerpo del hombre y de la mujer no sólo son diferentes sino que, además, por los diversos movimientos que cada uno ejecuta en su vida diaria hay órganos que se deterioran más que otros.

HUESOS DEL PIE

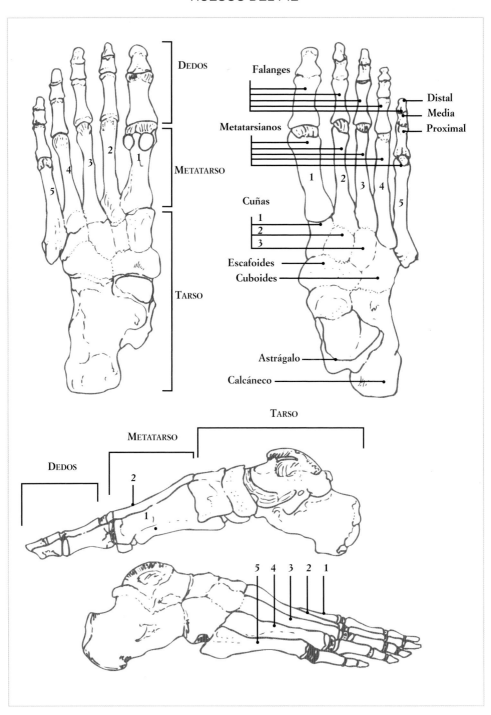

utilizará un ritmo cadencioso, teniendo mucho cuidado de no causar una gran molestia al paciente. A medida que se produzca la dispersión, la persona soportará una presión mayor y las molestias irán desapareciendo. De esta manera se podrá llegar al punto exacto que origina el problema y eliminarlo.

Si se actúa de otro modo, el dolor puede llegar a ser tan agudo que no permita permanecer más que unos instantes en la zona, que obligue a abandonarla antes de realizar la labor terapéutica.

EL USO DE LAS MANOS Y LOS DEDOS

Cada una de las técnicas reflejas utiliza formas de masaje que les son propias, determinadas por la zona a tratar. En todas ellas será necesario que el masajista se encuentre cómodo y que no adopte posturas forzadas ya que, de ser así, se restará efectividad a su trabajo. Los brazos deben estar sueltos desde el hombro, relajados, al igual que las manos de las que sólo se tensarán los dedos necesarios para sujetar la zona que sea tratada y hacer las manipulaciones precisas.

El pie está formado por una gran cantidad de huesos; es una estructura compacta cuyo asombroso diseño permite soportar, sobre su pequeña superficie, el peso de todo el cuerpo.

MASAJES EN MANOS Y PIES

Se utilizan los pulgares; más concretamente su borde externo mientras el resto de los dedos ofrecen palanca y asidero. La mano que no trabaja debe sujetar el pie o mano del paciente, dándole cobijo, moviéndolo para facilitar el trabajo de la otra.

Se desaconseja dejar el pie o la mano desasistidos, sólo manipulados por la mano que realiza el masaje. No sólo es inconveniente para el paciente sino también para el masajista, ya que exige un trabajo mayor al pulgar que efectúa el masaje.

El movimiento que debe ejercerse con el pulgar se puede comparar al necesario para deshacer un terrón de azúcar sobre la otra palma: circular, deshaciendo los nudos o granulaciones que haya debajo.

El tratamiento debe realizarse manteniendo una presión uniforme de modo que se hace necesario adaptar convenientemente las manos a fin de que la fatiga no impida ejercerlo con la misma energía al final que al principio.

Las técnicas que se utilizan tanto en manos como en pies, son básicamente tres:

- BOMBEO. Consiste, como su nombre lo indica, en bombear mediante la presión-descompresión con el pulgar en una zona refleja, haciendo un movimiento ondulante.

- BOMBEO Y ARRASTRE. Técnica que consiste en bombear y masajear con el pulgar, en un movimiento similar al que se haría para sacar los restos en un tubo de pasta de dientes.

- CAMINITO. Para nombrar esta técnica se utiliza el diminutivo porque se emplean pequeños movimientos a fin de no dejar ninguna zona sin ser recorrida en su totalidad. Consiste en caminar con el pulgar toda la superficie del pie o de la mano, sobre todo con su borde externo. En ella también se pueden emplear los demás dedos.

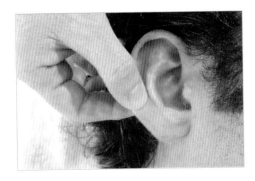

🔺 *Para masajear las orejas es recomendable la compresión de las mismas.*

Esta variante de masaje será especialmente útil a la hora de tratar extensas áreas reflejas o cuando sea necesario trabajar también en áreas correlacionadas. La ventaja de esta modalidad es que no sobrecarga el trabajo del pulgar; sirve para relajarlo de vez en cuando ya que será éste el que tendrá que tensarse durante todo el masaje.

MASAJE EN LAS ZONAS REFLEJAS DE LAS OREJAS

Las técnicas básicas serán las mismas que para manos y pies, sólo que en algunos puntos deberá utilizarse el dedo índice, más estrecho o, inclusive, la punta de un bastoncillo de los que se emplean para limpiar los oídos, que es más fino que nuestro dedo

MASAJE EN LAS ZONAS REFLEJAS DE LA ESPALDA

Se pueden emplear las técnicas de bombeo, arrastre y caminito, pero lo más aconsejable son los golpecitos. Los golpes se darán sobre el dorso de la propia mano que estará, a su vez, apoyada sobre la zona a tratar.

Se desaconseja absolutamente la recolocación de vértebras a toda persona que no esté debidamente cualificada porque se podría provocar una lesión grave para toda la vida.

Presión. Para realizarlo el masajista se debe colocar detrás de la persona que recibe el masaje. La presión se realiza en el entrecejo (como muestra la imagen) y después llevando los dedos más arriba, donde termina la frente y nace el cabello. Se trata de presionar durante 6-8 segundos, no de frotar o rozar. Con este masaje se logra una profunda relajación.

Rozamiento. En este caso se hace un rozamiento o frotación tanto con la punta de un dedo como con todos los dedos planos. Se hará por toda la frente y sienes. El objetivo es eliminar la tensión que se crea en esta zona del rostro (el ceño fruncido es el signo más evidente de la tensión). Este masaje se repite varias veces.

Acupresión. Con la presión en la frente entre las cejas se consigue un efecto relajante. Es parecido al masaje de presión y para realizarlo conviene tener conocimientos de acupuntura. En la medicina tradicional china este punto se denomina Tercer Ojo. Se debe realizar durante 5-6 segundos, parar y volver a ejecutar. El efecto relajante es casi inmediato, así como el desbloqueo de la zona.

Pellizco. Las cejas se pellizcan suavemente con los dedos índice y pulgar empezando por un extremo de la ceja y terminando por el otro. Cada pellizco se efectuará durante unos segundos. El masaje de compresión de las cejas se utiliza en casos de congestión de los senos nasales y para obtener relajación general.

Rozamiento en mejillas. Con la punta de los dedos, se realiza un masaje por rozamiento por los pómulos y debajo de ellos. Se inicia cerca de la nariz y se va hacia las orejas descendiendo a lo largo de las mejillas. Se debe repetir varias veces. Es un masaje que ayuda a incrementar el drenaje linfático.

El sistema nervioso y los cinco sentidos

PARA COMPRENDER LAS RELACIONES EXISTENTES ENTRE LOS PUNTOS REFLEJOS Y EL RESTO DEL ORGANISMO, ES NECESARIO SABER DÓNDE ESTÁ COLOCADO CADA ÓRGANO EN EL CUERPO, ASÍ COMO SABER A QUÉ SISTEMA PERTENECE, YA QUE ESTO ES LO QUE PERMITIRÁ APLICAR LOS PRINCIPIOS DE LA MEDICINA TRADICIONAL CHINA O LOS POSTERIORES DESCUBRIMIENTOS DE LA MEDICINA OCCIDENTAL A LA HORA DE EFECTUAR EL MASAJE TERAPÉUTICO.

La mejor manera de desarrollar estos conocimientos es agrupar los diferentes órganos en sistemas, explicando su localización en el cuerpo así como las funciones que cumplen. Se comenzará por el sistema nervioso por considerarlo el centro de control, la estructura de la cual parten las órdenes que regularán el resto de los sistemas.

SISTEMA NERVIOSO

En los animales vertebrados, el sistema nervioso puede dividirse en dos subsistemas: el sistema nervioso periférico, compuesto por los nervios craneales y raquídeos, y el sistema nervioso central. Los nervios tienen la función de recoger señales (nervios sensitivos) de las diferentes partes del cuerpo y enviarlas a los centros

El órgano que se relaciona con el sentido del tacto es la piel. Está formada por tres capas: epidermis, dermis e hipodermis.

médula, que transcurre por un canal formado por la parte central de las vértebras. De este modo, una de las partes vitales de nuestro cuerpo, como es el sistema que controla todas y cada una de las funciones vitales, se encuentra relativamente a salvo de golpes o cualquier otro tipo de lesiones.

Tanto el encéfalo como la médula están revestidas por las meninges, craneales o espinales, entre las que fluye el líquido cefalorraquídeo que, en parte, también cumple funciones de protección ya que sirve como amortiguación.

El encéfalo, a su vez, está constituido por varios órganos:

- CEREBRO. Es la parte más voluminosa del encéfalo. Está dividido en dos hemisferios, el derecho y el izquierdo, por una hendidura profunda llamada cisura longitudinal.

superiores o bien de transmitir órdenes que parten de dichos centros a los diferentes órganos, músculos y sistemas.

SISTEMA NERVIOSO CENTRAL

El sistema nervioso central está compuesto por la médula y por el encéfalo. Ambos están protegidos por una envoltura ósea: el encéfalo, que se encuentra dentro de la caja craneal, y la

La corteza cerebral está constituida por sustancia gris, formada por cuerpos neuronales, fibras nerviosas y neuroglia. Como tiene cuerpos celulares, y por lo tanto dendritas, en la sustancia gris se producen sinapsis nerviosas, conexiones de unas neuronas con otras. La sustancia blanca, formada por los axones de las neuronas y la neuroglia, es la conductora de los impulsos nerviosos.

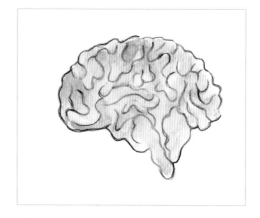

▲ *El sistema nervioso central, compuesto por médula y encéfalo, regula la actividad de todo el organismo.*

▼ *La columna vertebral es una estructura flexible compuesta por vértebras dentro de la cual se aloja, protegida, la médula espinal.*

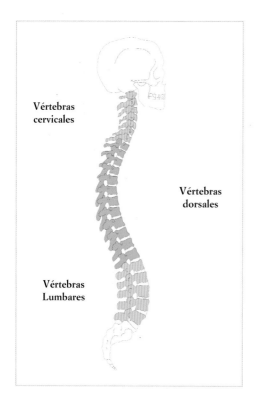

Vértebras cervicales

Vértebras dorsales

Vértebras Lumbares

La parte externa del cerebro está dividida en diversas zonas llamadas áreas corticales; cada una de ellas relacionada con una función específica. Las más conocidas son las motoras, sensitivas, visuales, olfativas y gustativas.

- TÁLAMO. Esta estructura se asienta en la base del cráneo. Su función consiste en clasificar y procesar toda la información sensitiva que llega de la médula espinal y mandar luego información a los músculos. También es responsable de transmitir a la conciencia las sensaciones dolorosas.

- HIPOTÁLAMO. Está situado debajo del tálamo y tiene diversas funciones. Activa la producción de algunas hormonas y contiene centros que regulan la actividad de la hipófisis anterior, el sistema nervioso autónomo, la regulación de la temperatura corporal y la ingesta de alimentos sólidos y líquidos.

Otra de las funciones del hipotálamo está relacionada con las emociones; si los datos que llegan a él por la vía de los sentidos constituyen una

amenaza, por ejemplo, organiza la liberación de hormonas que pongan al cuerpo en actitud de defensa o huída. También está relacionado con el estado de vigilia.

- CEREBELO. Después del cerebro, es el órgano más grande del encéfalo. Ocupa la fosa craneal posterior y consta de dos

▼ *La columna vertebral está compuesta por 7 vértebras cervicales, 12 vértebras dorsales, 5 vértebras lumbares, el sacro y el cóccis.*

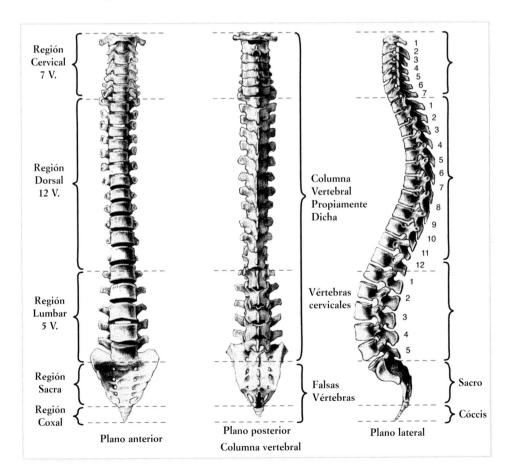

Plano anterior

Plano posterior
Columna vertebral

Plano lateral

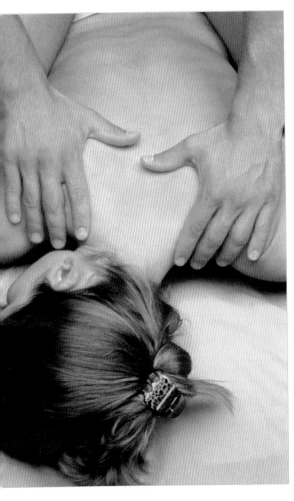

El estado de salud de la espalda, concretamente de la columna vertebral, afecta directamente a la de todo el organismo así como al estado de ánimo y a los cinco sentidos.

montar en bicicleta, el cerebro se ocupa de ir corrigiendo los movimientos de modo que los dedos, manos y pies ejecuten las acciones precisas para hacer esas tareas correctamente y corregir, sobre la marcha, los errores. Una vez que la mecánica se ha aprendido, el control pasa al cerebelo, que realiza los ajustes precisos con mayor eficacia. Por ello, cuando alguien se pone a observarnos lo rápido que escribimos a máquina o tenemos que demostrar al profesor de piano que hemos estudiado la pieza, es frecuente que se cometan más errores que durante el tiempo de práctica. La razón es que lo queremos hacer «tan bien» que utilizamos el cerebro (más lento y menos eficaz que el cerebelo) para controlar los movimientos.

Este órgano coordina la actividad, el tono muscular y la conservación del equilibrio.

hemisferios y una parte intermedia llamada vermis. Se une al tallo cerebral mediante unos haces de fibras nerviosas que entran y salen de él, llamadas pedúnculos.

El cerebelo tiene una corteza compuesta de sustancia gris; en su interior hay sustancia blanca. Regula la coordinación. Cuando se aprende a tocar una pieza en piano, a escribir a máquina o a

- TALLO CEREBRAL. Se divide en tres porciones: mesencéfalo, protuberancia o puente y médula oblonga o bulbo raquídeo. Está constituido por sustancia blanca pero contiene islotes de sustancia gris. En él hay numerosos centros reflejos, incluidos los centros vitales que controlan la actividad cardiaca y respiratoria. Otros están relacionados con la tos, el estornudo, el hipo, el vómito, la succión y la deglución.

En el tallo cerebral también se encuentran los núcleos que dan origen a los pares de nervios craneales.

Esta es una estructura de paso de las fibras procedentes de la médula espinal y de las que descienden hacia ella.

- MÉDULA ESPINAL. Es una estructura que alcanza alrededor de los 43 centímetros en la edad adulta y el grosor aproximado de un dedo. Su parte externa está formada por sustancia blanca, y la interna, por sustancia gris. Esta sirve de centro reflejo de distribución para las vías sensitivas y motoras.

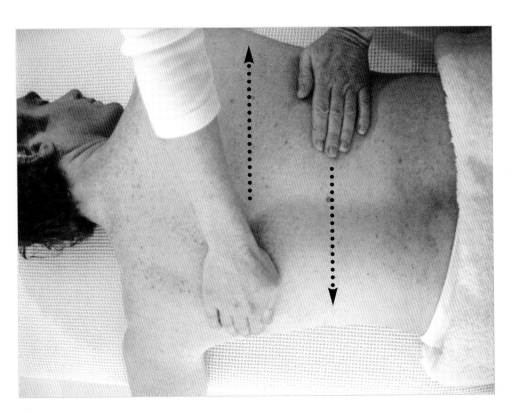

La técnica del rozamiento de la palma de la mano contra la espalda debe ser continuo y enérgico para conseguir aliviar el grupo de músculos que se esté tratando.

La sustancia blanca es la vía que conduce los impulsos desde las distintas partes del cuerpo hacia el encéfalo y viceversa.

LOS CINCO SENTIDOS

Los sentidos están compuestos por órganos que informan al cerebro de todo lo que ocurre en el entorno. A excepción del tacto, que está repartido por todo el cuerpo, todos se hallan en la cabeza.

- Gusto. La función del gusto como sentido es enviar al cerebro el sabor de los elementos que se introducen en la boca. Esta tarea se inicia en los receptores del gusto que se encuentran en la lengua.

La superficie de este órgano musculoso está recubierta por una mucosa en la que se encuentran unas protuberancias llamadas papilas linguales. Las bases de estas papilas están muy inervadas y cuando una sustancia es introducida en la boca y disuelta por la saliva, se produce una corriente nerviosa en las terminaciones que inervan las papilas que es enviada al cerebro.

Los nervios que conducen los diferentes gustos captados en la lengua son el nervio facial, el glosofaríngeo y el vago. Este sentido está íntimamente relacionado con el del olfato.

- OLFATO. Las fosas nasales están revestidas por una membrana llamada mucosa olfatoria, constituida por células epiteliales. En su parte anterior es roja, ya que tiene numerosos capilares sanguíneos; en su zona posterior, en cambio, es amarilla ya que tiene gran cantidad de terminaciones nerviosas que le dan ese color.

Los gases olorosos que entran por las fosas nasales, al llegar a la mucosa olfatoria amarilla crean corrientes nerviosas que son enviadas por esas ramificaciones nerviosas al encéfalo. Tras atravesar el hueso etmoides penetran en la cavidad craneal y llegan al bulbo olfatorio desde el cual van luego al rinencéfalo.

- LA VISTA. La superficie del ojo, órgano de la visión, está tapizada por la conjuntiva, un tejido epitelial que lo recubre, incluida la córnea y los

▲ *Los cinco sentidos están compuestos por órganos que pasan información al cerebro de todo lo que está sucediendo a nuestro alrededor.*

párpados. Consta del globo ocular, que ocupa la cavidad orbitaria, cuya túnica fibrosa recibe el nombre de esclerótica, una de cuyas porciones constituye la parte blanca del ojo.

En su parte anterior tiene una abertura donde encaja la córnea, tejido transparente que deja pasar los rayos luminosos.

El iris es una membrana en forma de disco situado detrás de la córnea, tiene una apertura en el centro denominada pupila que regula la entrada de luz. Detrás del iris se encuentra el cristalino.

- OÍDO Y EQUILIBRIO. El oído se divide en tres partes: oído externo, medio e interno. Este último alberga los receptores de la audición y del equilibrio.

▲ *Gracias a los sentidos percibimos todo lo que nos rodea, que nos aporta información y sensaciones positivas o negativas.*

OÍDO

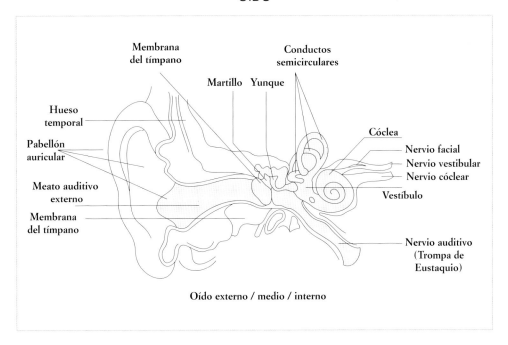

Membrana del tímpano

Conductos semicirculares

Martillo Yunque

Hueso temporal

Pabellón auricular

Cóclea

Nervio facial
Nervio vestibular
Nervio cóclear

Vestíbulo

Meato auditivo externo

Membrana del tímpano

Nervio auditivo (Trompa de Eustaquio)

Oído externo / medio / interno

El oído externo consta de pabellón auricular y conducto auditivo externo, que finaliza en el tímpano. Contiene glándulas que segregan cerumen.

El oído medio es una cavidad llena de aire, localizada en el interior del hueso temporal. Forman parte de él tres huecesillos: el martillo, el yunque y el estribo, dispuestos de tal manera que las vibraciones de la membrana timpánica son transmitidas mecánicamente al oído interno.

En su parte anterior, el oído medio se comunica con la faringe por un conducto denominado Trompa de Eustaquio; gracias a ello se equilibra la presión timpánica. En su parte posterior se comunica con las células mastoideas.

El oído interno está compuesto por un laberinto óseo y otro membranoso y en él se pueden distinguir tres partes: el vestíbulo y los conductos semicirculares. En estos conductos hay unas células sensoriales que están en contacto con un líquido, llamado endolina, que se agita con el movimiento corporal. Esta agitación genera diferentes impulsos nerviosos en las células sensoriales que son enviados al cerebro y traducidos en términos de equilibrio. El caracol está relacionado con la audición.

- Tacto. La piel podría ser definida como la capa protectora que aísla los órganos, músculos y huesos del exterior. Es el órgano sensorial para la percepción de la presión, temperatura y dolor. Toma parte en los mecanismos de defensa, interviene en la regulación del equilibrio hidrosalino y posee resistencia eléctrica que cambia con situaciones emocionales; de hecho, muchas enfermedades se detectan por diferentes cambios en la piel como las manchas, heridas, grietas, etc.

La piel está formada por tres capas: epidermis, dermis o corión y tejido celular subcutáneo o hipodermis. También tiene estructura como pelos, uñas y diversas glándulas.
La capa superficial o epidermis está compuesta por tres tipos de tejido: la capa de regeneración o estrato germinativo; la capa queratizada y la capa cornificada. Las células cilíndricas de la capa basal del estrato germinativo sufren una transformación que termina con su cronificación al alcanzar los estratos superficiales. El proceso de migración de estas células tarda 30 días.

La dermis o corión es la capa de tejido conectivo. Tiene un estrato en el cual sus papilas se interdigitan con las de la epidermis y un estrato reticular, que proporciona a la piel resistencia contra el desgarro. Es en esta zona de la piel donde se localizan las raíces pilosas, glándulas, vasos sanguíneos, células de tejido conectivo, células libres del sistema inmunitario y células nerviosas.

El tejido subcutáneo o hipodermis une la piel con estructuras subyacentes como fascias y periostio. Puede contener grasa y la atraviesan los grandes vasos y nervios cutáneos.

La sensibilidad a la presión o al tacto que tiene la piel no es uniforme: hay zonas donde es extremadamente aguda y otras que, por el contrario, donde es mucho más pobre.

Si se separan las hojas de una tijera y se toca ambas puntas con la yema de uno de los dedos, se perciben claramente dos puntas. Sin embargo, si se colocan ambas puntas sobre la pierna o la espalda, sólo se sentirá un leve pinchazo, no dos.

Además de los elementos imprescindibles antes de someterse a un masaje, podemos contar con cremas y aceites que nos proporcionen bienestar.

Columna vertebral y articulaciones

LA COLUMNA VERTEBRAL ES EL EJE SOBRE EL CUAL SE ESTRUCTURA TODO EL ESQUELETO. CONSTA DE 33 Ó 34 HUESOS CONTIGUOS, LAS VÉRTEBRAS, Y PERMITE EL SOSTÉN DE LA CABEZA Y EL TRONCO. SI SE LA MIRA DE COSTADO, SE OBSERVA QUE NO ES RECTA SINO QUE TIENE FORMA DE «S».

LAS curvaturas naturales que presenta ayudan a dar una mayor flexibilidad al cuerpo y permite una mayor amortiguación en caso de caídas y golpes. Las curvaturas son cuatro:

- Convexidad anterior o lordosis cervical.
- Convexidad posterior o cifosis dorsal.
- Convexidad anterior o lordosis lumbar.
- Convexidad posterior o cifosis sacra.

Se denominan lordosis a las curvas que hace la columna hacia el pecho, hacia adentro, y cifosis, a las que hace hacia afuera. Si bien cada uno de los cuatro tramos de la columna vertebral presentan cifosis y lordosis naturales, es bastante común que estas curvaturas sean mucho más pronunciadas en cuyo caso habría que hablar de un problema de cifosis o lordosis ya que no responden a la curvatura natural. Normalmente, estos trastornos son producto de malas posturas y se pueden, y deben, corregir.

ESQUELETO

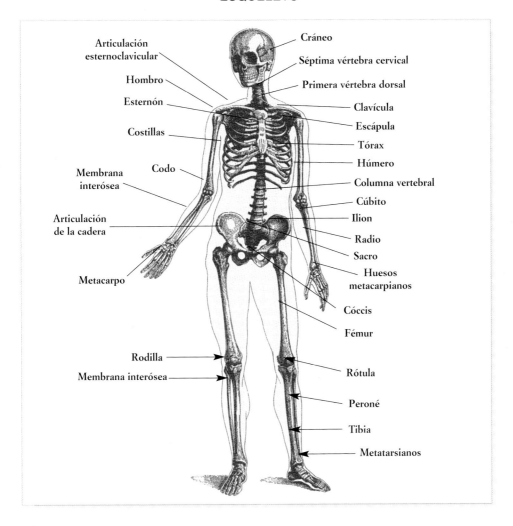

Articulación
esternoclavicular

Hombro

Esternón

Costillas

Membrana
interósea

Codo

Articulación
de la cadera

Metacarpo

Rodilla

Membrana interósea

Cráneo

Séptima vértebra cervical

Primera vértebra dorsal

Clavícula

Escápula

Tórax

Húmero

Columna vertebral

Cúbito

Ilion

Radio

Sacro

Huesos
metacarpianos

Cóccis

Fémur

Rótula

Peroné

Tibia

Metatarsianos

El esqueleto, formado por huesos de diferentes tamaños y formas, sirve de estructura y sostén, así como de protección a diferentes órganos.

Las vértebras poseen un canal central que sirve de receptáculo para la médula espinal. El tamaño de las mismas varía: son más grandes en la zona lumbar, que soporta un peso mayor.

La columna está estrechamente relacionada con el sistema nervioso central ya que de ella parten los nervios espinales que mantienen la comunicación entre diversas partes del cuerpo y el encéfalo. Un mal funcionamiento orgánico puede deberse a un bloqueo en la conducción nerviosa, a menudo provocada por alteraciones en las vértebras.

SISTEMAS ÓSEO Y ARTICULAR

El sistema óseo articular es un sistema de sostén formado por dos bloques: el tórax y la pelvis. Ambos están unidos por la columna vertebral. En ella se insertan las extremidades y la cabeza, esta última por la porción cervical.

El cuerpo está cubierto por músculos que le proporcionan un sistema de sujeción que tiene una función antigravitatoria: las tensiones que desarrollan estos músculos son las que mantienen los huesos de todo el esqueleto en su lugar haciendo que el cuerpo presente una posición erguida. La tonicidad muscular consigue que el eje que forma la columna no sea rectilíneo, alcanzando así un perfecto encaje articular.

LA CINTURA ESCAPULAR

La cintura pélvica está compuesta por los huesos que sostienen las extremidades superiores:

- COSTILLAS. La caja torácica está compuesta por 24 pares de costillas que se articulan por detrás con la columna vertebral. Cinco de estos pares, llamados «costillas verdaderas», también se articulan por delante del esternón; dos pares se articulan mediante un haz cartilaginoso a la costilla superior y los

dos restantes, par 11 y 12, son libres y se denominan costillas flotantes.

- ESTERNÓN. Hueso plano, estrecho y alargado situado en el medio del pecho, que contribuye a la formación de la caja torácica. Se puede dividir en tres porciones: manubrio, cuerpo y apéndice. También se articula con las clavículas.

- CLAVÍCULAS. Son dos huesos estrechos, largos, que se articulan por un lado con el esternón y, por otro, con los omóplatos.

- ESCÁPULAS U OMÓPLATOS. Son huesos triangulares que presentan una espina escapular en su cara posterior (acromio), que se articula con cada clavícula, y una depresión en el ángulo lateral (cavidad glenoidea), destinada a alojar la cabeza del húmero del brazo de su mismo lado.

La presión en la parte de la muñeca debe hacerse con mucha precisión para conseguir el objetivo buscado.

EXTREMIDADES SUPERIORES

- HÚMERO. Hueso largo del brazo que se articula en el hombro con el omóplato correspondiente y en el codo con los huesos cúbito y radio.

- CODO. La articulación del codo está integrada por el húmero, que presenta un cóndilo que articula con el radio, una tróclea y una fosa olecraniana, que está destinada a alojar la apófisis u olécranon del cúbito. El radio es uno de los huesos que conforman el antebrazo y está colocado en el lado correspondiente al dedo pulgar. El otro hueso del antebrazo es el cúbito, y es en él donde se encuentra la apófisis ósea sobre la que descansamos cuando apoyamos el codo.

- MUÑECA Y MANO. El cúbito y el radio se articulan con el conjunto de huesos cortos de la mano llamado carpo. Este, a su vez, se articula con los huesos largos de la mano, metacarpianos, y estos, con las falanges que forman los dedos. De ellas, la primera se denomina proximal; la segunda se llama media, y la tercera, es decir la que está en la punta, distal.

CINTURA PÉLVICA

La cintura pélvica es la estructura ósea en la cual se articulan las extremidades

ARTICULACIONES

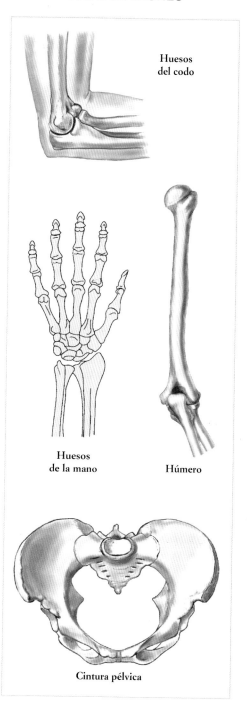

Huesos
del codo

Huesos
de la mano

Húmero

Cintura pélvica

Los puntos reflejos del hueso coxal se encuentran en los tobillos. En esa zona también se reflejan los trastornos en la articulación del húmero, tan frecuentes en mujeres que han pasado la menopausia.

inferiores y está formada por los siguientes huesos:

- Coxal. Es el hueso más grande que forma la pelvis y se divide en tres

porciones dobles que se sitúan a izquierda y derecha: ilión, isquion y pubis.

Los puntos reflejos del coxal se encuentran en ambos tobillos. Allí también está reflejada la articulación con el húmero

- Ilion. Forma las partes superiores del hueso coxal, la denominada cresta ilíaca. Su forma es curva y conforma el borde superior. Es el hueso que sobresale en la parte alta de la cadera.

  Posee un cuerpo y un ala que se articulan con el sacro por medio de carillas articulares.

- Isquión. Conforma las partes inferiores del hueso coxal. Se divide en cuerpo y rama. Las ramas del isquión y del pubis de cada lado delimitan el agujero obturador.

PUNTOS DE APOYO DEL PIE

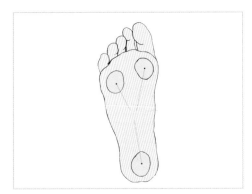

Estos son los puntos del pie que se apoyan contra el suelo al estar en posición vertical. Estos puntos soportan todo el peso del cuerpo, por lo que hay que realizar masajes de presión y rozamiento en ellos de vez en cuando.

- PUBIS. Las porciones inferior-anterior del hueso coxal están formadas por los huesos pubianos, que se unen en la parte anterior formando una sínfisis a través de un fibrocartílago central.

- CADERA. Cada cadera está formada por la cara semilunar del acetábulo coxal y la cabeza del fémur.

EXTREMIDADES INFERIORES

Hay zonas específicas del pie donde se reflejan las piernas, la parte superior (muslo) y la articulación de la rodilla.

- FÉMUR. Hueso largo de la pierna y el de mayor longitud de todo el cuerpo. En su zona superior se distingue una protuberancia, la cabeza, y un cuello. El cuello se articula en la fosa acetabular del coxal. Su porción inferior forma parte de la articulación de la rodilla.

- RODILLA. Está formada por el fémur, la rótula, los meniscos, la tibia y el peroné. La rótula es un hueso sesamoideo, triangular. Los meniscos son ligamentos constituidos por tejido conectivo, rico en fibras colágenas.

- TOBILLO. La tibia y el peroné se articulan con los huesos del tarso del pie.

CAPÍTULO 7

Sistema endocrino

LAS GLÁNDULAS QUE COMPONEN EL SISTEMA ENDOCRINO NO TIENEN CONDUCTOS DE SECRECIÓN: VIERTEN LAS HORMONAS QUE PRODUCEN DIRECTAMENTE EN LA CORRIENTE LINFÁTICA O SANGUÍNEA QUE LAS LLEVA A LAS DIFERENTES PARTES DEL ORGANISMO. CADA UNA DE ESTAS HORMONAS TIENE UNA FUNCIÓN ESPECÍFICA QUE INCIDE NO SÓLO EN EL COMPORTAMIENTO FISIOLÓGICO DEL ORGANISMO SINO QUE ALGUNAS REPERCUTEN TAMBIÉN SOBRE LA VIDA PSÍQUICA.

L A función del sistema endocrino es regular las actividades orgánicas celulares, tarea que comparte con el sistema nervioso, que es el coordinador principal. Este sistema posee un especial método de retrocontrol o retroalimentación que sirve para regular los niveles que hay en sangre de las diferentes hormonas por medio de la inhibición o estimulación de la actividad del hipotálamo y de la hipófisis.

Las estructuras que forman el sistema endocrino son las siguientes:

- GLÁNDULA PITUITARIA O HIPÓFISIS. Se localiza en el hipotálamo y puede ser considerada como la glándula principal. Consta de dos lóbulos que producen hormonas que, a su vez, activan el funcionamiento de otras glándulas: la tiroides y las que componen el sistema reproductor.

▲ *El sistema endocrino tiene la función de regular las actividades orgánicas celulares y también nivela las cantidades de las diferentes hormonas que hay en sangre.*

Entre las hormonas que produce la pituitaria pueden citarse la hormona del crecimiento; la oxitocina, que estimula las contracciones uterinas durante el parto y los conductos lácteos del pecho y la prolactina, que inicia y mantiene la producción de leche tras el parto. También está involucrada en la producción de la melanina, el pigmento que da color a la piel.

- GLÁNDULA PINEAL O EPÍFISIS. Está situada en el mesencéfalo y se cree que aún no se conocen cabalmente muchas de sus funciones. Sí se sabe que tiene relación con la maduración sexual y que la cantidad de hormonas que segrega está directamente relacionada con la cantidad de luz que haya en el entorno. Hay quienes opinan que está estrechamente vinculada a las facultades parapsicológicas y que tiene un mayor desarrollo, por ejemplo, en quienes practican la meditación en yoga.

- GLÁNDULA TIROIDES. Formada por dos lóbulos unidos por un istmo, está situada a los lados de la laringe y la tráquea. Esta glándula produce hormonas que estimulan el metabolismo celular, imprescindibles para el crecimiento. En el hipertiroidismo (desarrollo excesivo de la tiroides), las combustiones intercelulares aumentan. Por el contrario, en el hipotiroidismo (desarrollo o producción insuficiente de la glándula), hay un retardo en el metabolismo, en el crecimiento y también alteraciones de las funciones psíquicas.

- PARATIROIDES. Es una estructura formada por cuatro pequeños órganos glandulares, situados en la porción posterior de la glándula tiroides. La hormona segregada por esta glándula está muy vinculada al metabolismo del calcio.

Por este motivo, cuando el paratiroides funciona en exceso, pueden formarse depósitos de calcio en la pared de los vasos favoreciendo así la aparición de cálculos renales. Si su funcionamiento es deficiente, se produce una descalcificación de huesos y dientes, por una parte, y un aumento de la excitabilidad nerviosa debido a una mayor cantidad de calcio en la sangre, por otra.

- TIMO. La palabra timo viene del griego *thymos* que significa «energía de la vida». En la antigüedad se creía que en ella residía y se controlaba la energía.

Esta glándula está situada debajo de la tiroides, entre el esternón y las venas cava superior y braquiocefálica. Consta de dos lóbulos ovales que están divididos en porciones más pequeñas llamadas lobulillos.

Durante la infancia y la juventud, está muy desarrollada; llega a pesar entre 25 y 40 gramos. Sin embargo, a partir de los 11-14 años inicia un proceso de involución que dura toda la vida, de modo que en los adultos es más pequeña.

Hoy se sabe que su función principal está relacionada con el sistema inmunitario, aunque también tiene incidencia en el crecimiento y en el

Las diferentes glándulas del cuerpo segregan hormonas que, a la vez, actúan sobre otras glándulas o sobre los procesos y funciones que se llevan a cabo en los demás órganos.

desarrollo y actividad sexuales. Para la medicina holística es punto de unión entre el cuerpo y la mente, de ahí que resulte afectado cuando se producen alteraciones emocionales.

Esta es otra de las glándulas que, al igual que la pineal, preocuparon a los ocultistas. Recomendaban pronunciar la «A» o la palabra mágica abracadabra porque ese sonido hacía vibrar esta glándula y, por ello, la mantenía activa. Con esto, decían, se evitaba el envejecimiento.

- GLÁNDULAS SUPRARRENALES. También reciben el nombre de glándulas adrenales. Son pequeñas glándulas triangulares situadas sobre cada uno de los riñones, en su polo superior e inclinadas hacia adentro. Cada una consta de dos partes que tienen funciones específicas: una región externa

llamada corteza adrenal y una interna llamada médula adrenal. Las glándulas suprarrenales trabajan en conjunción con el hipotálamo y la glándula pituitaria:

el hipotálamo produce hormonas que liberan la corticotropina que, a su vez, estimulan la glándula pituitaria. Esta, a su vez, produce hormonas que estimulan las glándulas suprarrenales para producir hormonas corticoesteroides. Estas hormonas generadas por la corteza adrenal tienen, entre otras funciones, la de mantener el volumen y la presión sanguínea. También se relacionan ligeramente con el desarrollo de los atributos masculinos.

La médula adrenal segrega dos hormonas: epinefrina (adrenalina) y norepinefrina (noradrenalina). La primera, entre otros cometidos, aumenta las pulsaciones cardiacas y la fuerza de las contracciones del corazón; facilita además la irrigación del cerebro y los músculos. La segunda tiene fuertes efectos vasoconstrictores y aumenta la presión sanguínea.

- PÁNCREAS. Este órgano está formado por dos tipos de tejidos: el exocrino, que segrega enzimas digestivas y el endocrino, localizado en los islotes de Langerhans, que vierten hormonas en el torrente sanguíneo.

El tejido endocrino produce dos hormonas de efectos antagónicos: la insulina y el glucagón. La primera disminuye la cantidad de azúcar en sangre y estimula el metabolismo de la glucosa, las grasas y las proteínas. La segunda aumenta el nivel de azúcar en sangre.

La excesiva producción de insulina provoca la hipoglucemia, es decir una baja cantidad de azúcar en la sangre. Este cuadro puede presentarse por diversas causas: trastornos psicológicos, consumo de alcohol sin alimentación adecuada, consumo de ciertos medicamentos, etc. La producción insuficiente de insulina determina la diabetes mellitus con hiperglucemia, glucosuria y poliuria.

Por su parte, las hormonas sexuales se producen en las gónadas: testículo y ovario, y en pequeña proporción en la corteza de las glándulas suprarrenales.

- TESTÍCULOS. Son glándulas sexuales masculinas. En las células intersticiales de

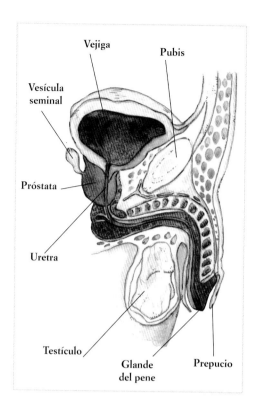

Vejiga

Pubis

Vesícula seminal

Próstata

Uretra

Testículo

Glande del pene

Prepucio

◀ *Los órganos sexuales masculinos deben encontrarse perfectamente para que las glándulas sexuales masculinas puedan cumplir su función.*

- OVARIOS. Son las glándulas sexuales femeninas. En ellas están alojados los óvulos. Tienen un papel fundamental en el ciclo menstrual; este se mantiene y regula por la acción del hipotálamo e hipófisis sobre los ovarios.

Los ovarios producen dos hormonas: estrógeno y progesterona. Estas son las que dan al cuerpo femenino sus características propias (crecimiento de mamas, distribución del vello púbico, etc.).

Leyden que se agrupan en el tejido conjuntivo testicular, fabrican hormonas y andrógenos. La testosterona, producida por los testículos, estimula la creación de esperma y determina la aparición de características masculinas en los varones (desarrollo de los órganos genitales, vello, crecimiento de huesos, tono de voz, etc.).

Es necesario recordar que el sistema endocrino está sumamente interconectado; por lo tanto, cuando se produce un desequilibrio en alguna de las glándulas, por lo general afecta a todo el sistema.

CAPÍTULO 8

Sistema urogenital

Los conductos excretores del sistema urinario, así como los órganos genitales, están íntimamente relacionados en su desarrollo embriológico. Por esta razón se denominan urogenitales y se estudian conjuntamente.

E L sistema urinario está formado por los órganos que eliminan. La orina y por los que la expulsan fuera del cuerpo: dos riñones, dos uréteres, vejiga urinaria y uretra. La secreción de la orina y su eliminación son funciones vitales que constituyen uno de los mecanismos para conservar la homeostasis.

- Riñones. Son dos órganos en forma de judía, situados en la porción superior de la cavidad abdominal, a ambos lados de la columna. Son los principales reguladores de todos los fluidos del cuerpo.

Cada riñón está formado por una gran cantidad de pequeñas unidades fisiológicas llamadas nefronas, que se encargan de realizar los procesos necesarios para la producción de la orina (filtrado, reabsorción y excreción de sustancias), cumpliendo con ello la función de la eliminación de los desechos.

Todos estos procesos son imprescindibles para que el medio interno se conserve en condiciones estables (homeostasis). De ahí que el funcionamiento renal sea una función vital para el organismo.

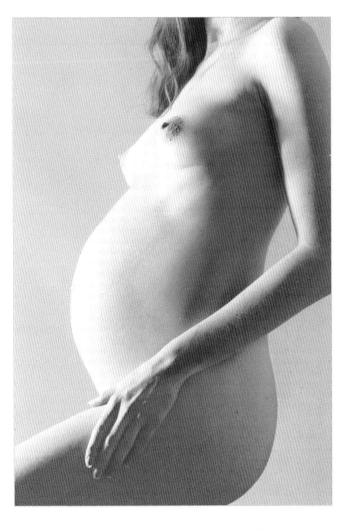

Las mamas son estructuras cutáneas cuyas funciones están relacionadas con los órganos genitales.

- URÉTERES. Son unos tubos finos que sirven para comunicar el riñón con la vejiga. Tienen forma de embudo que se ensancha hacia el extremo superior, formando la pelvis renal. Esta se divide en varias ramas que reciben el nombre de cálices.

  La orina, al excretarse, llega a los cálices y de aquí pasa a la pelvis; finalmente, desciende por los uréteres hasta la vejiga urinaria en donde unos pliegues de su mucosa impiden que, al contraerse la vejiga, la orina refluya. La orina es impulsada en virtud de los movimientos peristálticos.

- VEJIGA. Es un órgano muscular distensible y hueco situado detrás de la sínfisis pubiana. En la vejiga desembocan los uréteres que conducen la orina desde el riñón y, de ella, parte para la uretra. Su revestimiento interno es una mucosa dispuesta en pliegues que acumula la orina hasta que llega el momento de evacuarla. Cuando está llena, se produce una presión suficiente para estimular los receptores situados en la pared vesical. Estos transmiten impulsos al sistema nervioso central que hacen que se perciban como necesidad de orinar.

La micción es un mecanismo reflejo, pero puede ser inhibido y controlado por los centros superiores.

Los órganos reproductores en la mujer son internos en tanto que los masculinos, externos.

- URETRA. En la mujer es un tubo corto que mide alrededor de unos 4 cm. Por el contrario, en el hombre, mide alrededor de unos 20 cm; tras salir de la vejiga atraviesa la próstata y sigue a lo largo del pene.

ÓRGANOS GENITALES MASCULINOS

Este sistema está formado por dos testículos, una serie de conductos (canales deferentes, conducto eyaculador y epidídimo), glándulas accesorias (la próstata y las

bulbouretrales), vesículas seminales y pene.

- TESTÍCULOS. Son pequeñas glándulas ovoides, que se encuentran en una especie de bolsa llamada escroto. Cada uno de los testículos está rodeado de una capa de tejido fibroso que forma tabiques, de esta manera divide la glándula en lóbulos.

Cada lóbulo está constituido por conductos seminíferos que producen espermatozoides y por células intersticiales cuya función es generar una hormona masculina: la testosterona. Los espermatozoides son conducidos hasta el epidídimo por pequeños túbulos.

El epidídimo es un tubo enrollado, localizado en el escroto. En él se produce la maduración de los espermatozoides.

- PRÓSTATA. Es una glándula situada debajo de la vejiga urinaria y delante del recto. Tiene forma de castaña y está formada por unas 40 glándulas y dos lóbulos que son estimulados por hormonas. La secreción que produce es levemente ácida.

Esta glándula está atravesada por la primera porción de la uretra y por los conductos eyaculadores.

Las vesículas seminales son pequeños sacos situados a lo largo de la zona inferior de la vejiga, en su cara posterior y por delante del recto. Su secreción es alcalina y forma, junto a la secreción prostática, el líquido seminal. Este contiene fructosa, la sustancia de la cual obtienen su energía los espermatozoides.

Las glándulas bulbouretrales son semejantes a guisantes y están situadas debajo de la próstata. Se comunican con la uretra a través de un pequeño y delgado conducto.

- CONDUCTOS Y CANALES DEFERENTES. El epidídimo se continúa en un fino tubo

PUNTOS REFLEJOS DEL PIE

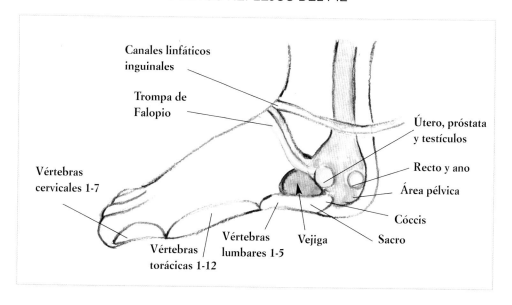

MASAJES Y REFLEXOTERAPIA **93**

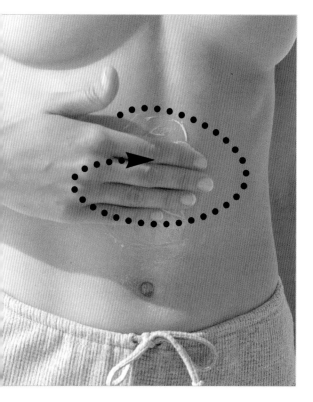

Un masaje circular en determinada zona logra reactivarla y a la vez relajarla.

ÓRGANOS GENITALES FEMENINOS

Están constituidos por órganos internos y externos. Los primeros son: dos ovarios, dos trompas uterinas o trompas de Falopio, útero y vagina. Los segundos son los labios mayores y menores, el clítoris, el vestíbulo de la vagina, las glándulas vestibulares y las glándulas mamarias.

Las mamas son estructuras cutáneas pero tienen una estrecha conexión funcional con los órganos genitales, de ahí que merezcan ser incluidas en este apartado.

que sale del escroto y entra en la cavidad pelviana, donde se une a un conjunto de vasos y nervios formando el cordón espermático. Desde ahí llega a la próstata donde se convierte en el conducto eyaculador, que atraviesa la glándula prostática y penetra en la uretra. Es, precisamente, sobre este tubo sobre el que se actúa a la hora de hacer una vasectomía.

- PENE. Es una estructura cilíndrica, muy irrigada, que está atravesada por la uretra en toda su extensión. Es el órgano masculino de micción y de emisión refleja de semen.

- OVARIOS. Son glándulas con forma de almendra, voluminosas, que se localizan a los lados de la cavidad pélvica. Constan de corteza y médula y albergan los folículos de Graaf. A partir de la pubertad, estos van madurando hasta liberar el óvulo y cuerpos lúteos.

- TROMPAS DE FALOPIO U OVIDUCTOS. Tienen forma de tubo que se ensancha en forma de embudo por un extremo por el cual se conectan con los ovarios. De esta manera recogen los óvulos. Por el otro extremo penetran en el útero.

Los movimientos pendulares de la trompa ayudan a la unión del óvulo con el espermatozoide y desplazan el embrión hacia el útero.

- ÚTERO. Órgano hueco que aloja al embrión y lo alberga hasta el momento del nacimiento. La mucosa uterina se prepara cíclicamente para la implantación del óvulo fecundado, en cuyo caso forma la placenta. Si no llega hasta el útero ningún óvulo en esta condición, se produce la descamación de la capa mucosa (menstruación).

El útero tiene forma de pera invertida y consta de cuerpo y cuello (o cérvix). La cavidad uterina se conecta con las dos trompas y se abre al exterior por la vagina.

- VAGINA. Tiene forma tubular y se conecta por la parte superior con el cuello del útero. Su parte inferior se abre al vestíbulo.

Está situada detrás de la uretra y delante del recto y conducto anal. Actúa como canal de parto tras la gestación.

- GENITALES EXTERNOS. Son pliegues cutáneos que limitan la hendidura vulvar. Se unen por delante al pubis o Monte de Venus.

Estos pliegues contienen grasa, glándulas sebáceas, sudoríparas y odoríferas.

- GLÁNDULAS MAMARIAS. Se extienden verticalmente desde la tercera a la séptima costilla y horizontalmente entre el esternón y la axila.

Poseen en el centro una zona pigmentada llamada areola y, en el centro de ella, está situado el pezón, al cual se abren los conductos galactóforos. Su función principal es la secreción de leche.

▼ *El masaje en el torso tiene su reflejo en otras partes del cuerpo.*

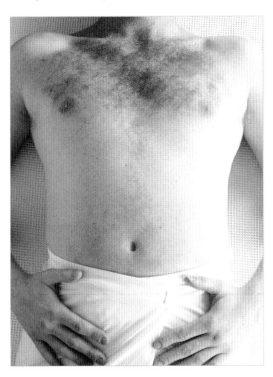

CAPÍTULO 9

Sistema cardio-respiratorio

ESTE SISTEMA ESTÁ CONSTITUIDO POR UNA AMPLIA RED DE CONDUCTOS (SISTEMA CIRCULATORIO), UN SISTEMA DE BOMBEO (CORAZÓN) Y UN SISTEMA DE DESCOMPRESIÓN-DEPURACIÓN (PULMONES). ESTOS TRES SISTEMAS ESTÁN PERFECTAMENTE SINTONIZADOS Y LLEVAN A CABO FUNCIONES QUE SON VITALES PARA EL MANTENIMIENTO DE LA VIDA: OXIGENACIÓN, IRRIGACIÓN, NUTRICIÓN CELULAR Y ELIMINACIÓN DE GASES.

SISTEMA CIRCULATORIO

ESTÁ constituido por una serie de tubos o vasos sanguíneos que transportan la sangre. Existen tres clases principales de vasos sanguíneos: arterias, venas y capilares. Las arterias alejan la sangre del corazón, las venas la retornan y los capilares constituyen enlaces entre unas y otras.

La función global del sistema circulatorio consiste en mantener la constancia del medio interno transportando nutrientes, oxígeno y sustancias reguladoras, así como recoger los productos de desecho, dióxido de carbono y productos celulares diversos. Contribuye a mantener la temperatura corporal y la protección contra infecciones.

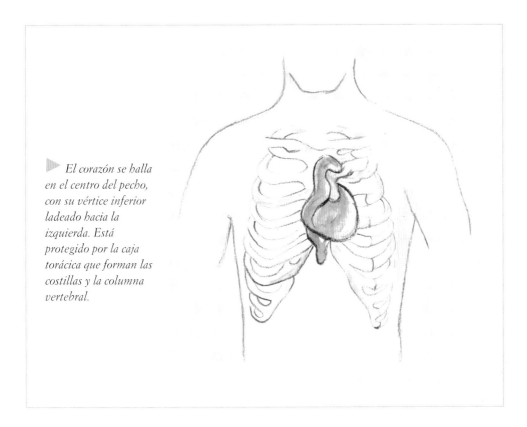

El corazón se halla en el centro del pecho, con su vértice inferior ladeado hacia la izquierda. Está protegido por la caja torácica que forman las costillas y la columna vertebral.

EL CORAZÓN

Es un órgano hueco y muscular, que descansa en la caja torácica entre ambos pulmones.

Está constituido por una capa interna o endocardio, media o mediocardio y externa o pericardio y dividido en dos partes: derecha o izquierda. A su vez, estas se subdividen en dos cavidades superpuestas: arriba la aurícula y abajo el ventrículo.

El corazón tiene un ciclo denominado cardíaco, que sucede de idéntica manera en ambos lados. Cada ciclo corresponde a un latido del pulso y está marcado por los movimientos del corazón, que son sístole (contracción de ventrículos o de aurículas) y diástole (relajación de ventrículos o aurículas).

SISTEMA RESPIRATORIO

El término «respiratorio» se aplica al intercambio gaseoso entre el oxígeno y el dióxido de carbono. En el organismo, se realizan dos tipos de respiración: la externa o pulmonar, que se lleva a cabo en los alveolos pulmonares y la corriente

🔺 *En los pulmones se realiza el intercambio de gases: los vasos sanguíneos dejan en ellos el dióxido de carbono y cogen el oxígeno para transportarlo a todas las células del cuerpo.*

sanguínea, y la interna o celular que consiste en el intercambio de gases entre la sangre y los tejidos del organismo. Estas reacciones metabólicas tienen lugar en las células.

La energía que proporcionan ambos tipos de respiración es esencial para mantener la temperatura corporal y la actividad vital.

El sistema respiratorio externo consta de vías aéreas que llevan el aire y lo expulsan: nariz y/o boca, faringe, laringe, tráquea, bronquios y pulmones.

- NARIZ. Es la puerta de entrada a la región respiratoria. Sus cornetes inferior y medio contribuyen a calentar, humectar y limpiar el aire inspirado de las partículas extrañas; el cornete superior contiene los receptores olfatorios.

Existen también espacios aéreos denominados senos paranasales que se abren a la cavidad nasal por medio de las celdillas etmoidales, siendo estos los frontales, esfenoidales y maxilares.

- FARINGE. Es el conducto que sirve de paso al aire y a los alimentos. Las trompas de Eustaquio se comunican con ella. Está situada en el cuello, delante de la columna vertebral.

- LARINGE. En este órgano están las cuerdas vocales. Tiene una válvula, la epiglotis, que impide que los alimentos y líquidos entren en su interior.

- TRÁQUEA. Conducto constituido por anillos cartilaginosos incompletos, que sirve de paso a la corriente aérea.

- BRONQUIOS. El par de bronquios resultan de la bifurcación de la tráquea. También tiene anillos cartilaginosos pero, a diferencia de los de la tráquea, éstos son completos. Al penetrar en los pulmones se ramifican haciéndose cada vez más pequeños y estrechos (bronquíolos), hasta llegar a los espacios alveolares donde tiene lugar el intercambio gaseoso.

- PULMONES. Órganos situados en la caja torácica. El pulmón derecho está dividido en tres partes o lóbulos y el izquierdo, sólo en dos. Cada pulmón está rodeado de un saco pleural, constituido por dos hojas. En su interior, se encuentra el árbol bronquial y los alveolos. El vértice pulmonar (ápex) alcanza la raíz del cuello y rebasa la apertura torácica superior. Ambos pulmones descansan sobre el diafragma.

- DIAFRAGMA. Músculo en forma de campana, situado en la base de la cavidad torácica que sirve para aumentar la capacidad de la misma durante la inspiración.

El corazón es un órgano muscular, compuesto por cuatro cavidades: dos aurículas y dos ventrículos. Sus contracciones son las que posibilitan que el flujo sanguíneo circule por todo el cuerpo.

CAPÍTULO 10

Sistema digestivo

ESTÁ FORMADO POR EL TUBO DIGESTIVO Y POR UNA SERIE DE GLÁNDULAS ASOCIADAS CUYO OBJETIVO ES TRANSFORMAR LOS ALIMENTOS POR SUSTANCIAS QUE PUEDAN UTILIZAR TODAS LAS CÉLULAS DEL ORGANISMO.

EL tubo digestivo está compuesto por las siguientes partes, que constituyen todo el recorrido del mismo, desde que la comida es ingerida hasta que finalmente es expulsada:

- BOCA. En ella se realiza la fragmentación mecánica de los alimentos (masticación), la humidificación (digestión de los glúcidos o hidratos de carbono por la acción de la saliva) y la deglución (acción de los músculos linguales que envían el bolo alimenticio hacia la faringe).

- FARINGE. Órgano con forma tubular por el que pasan los alimentos y el aire al ser inspirado y espirado. Por su parte superior se comunica con la boca y por la inferior, con la laringe, de la cual la separa la epiglotis, y con el esófago.

- ESÓFAGO. Porción del tubo digestivo que sigue a la faringe. Conduce los alimentos hacia el estómago (deglución) mediante la acción de los movimientos peristálticos.

- CARDIAS. Esfínter situado entre el esófago y el estómago y que regula el paso de los alimentos a éste.

- Estómago. Órgano que se sitúa debajo del diafragma. En su mayor parte, ocupa la zona izquierda del epigastrio.

  Está constituido por una porción superior (fondo), una central (cuerpo) y una porción inferior que comunica con el duodeno (antro pilórico).

  La mucosa interna del estómago segrega ácido clorhídrico, enzimas digestivas, moco, ciertas hormonas y el factor intrínseco que participa en la descomposición química de los alimentos.

  Las contracciones musculares (ondas peristálticas) actúan aquí reblandeciendo, triturando y desintegrando los alimentos y dándoles la consistencia adecuada para que puedan pasar al duodeno.

- Píloro. El esfínter pilórico permite el paso del quimo (resultado de la mezcla realizada en el estómago) al duodeno.

  La relajación de este esfínter se realiza de forma automática cuando los alimentos están debidamente fluidificados.

- Intestino delgado. Es la porción más larga del tubo digestivo; mide de 6 a 8 metros. Está dividido en tres secciones: el duodeno, separado del

Los jugos gástricos producidos por diferentes glándulas descomponen químicamente los alimentos ingeridos.

estómago por el píloro, al cual llega la bilis procedente del hígado y el jugo pancreático producido por el páncreas; el yeyuno y, la tercera porción, el íleon, que se comunica con el intestino grueso a través de la válvula ileocecal.

Puede decirse que es en el intestino delgado donde tiene lugar la verdadera digestión de los alimentos y su descomposición en elementos aptos para su absorción y paso a la

Algunos alimentos resultan beneficiosos para el organismo por lo bien que son asimilados
Para que el aparato digestivo esté en perfectas condiciones es conveniente mantener una dieta completa.

sangre. A ello contribuyen tres sustancias: la bilis, el jugo pancreático y el jugo intestinal producido por las células de este órgano.

Los alimentos divididos en sus componentes elementales son absorbidos principalmente en el yeyuno. En el íleon se absorben las sales biliares y la vitamina B12. Sólo una pequeña cantidad de agua será posteriormente absorbida por el intestino grueso.

El paso de los alimentos hacia la siguiente porción intestinal, el ciego, se realiza a través de otro esfínter que comunica el íleon con el intestino grueso.

- INTESTINO GRUESO. Este órgano también es denominado colon. Es un conducto de unos 2 metros, de estructura más gruesa y que presenta unos abultamientos que, junto a las ondas peristálticas, ayudan al bolo fecal a progresar hacia el exterior. Está dividido en varias secciones: ciego; colon ascendente, transverso y descendente; sigma y recto. Este último, de unos 8 o 10 cm de longitud, termina en el orificio anal que es el lugar por donde se realiza la expulsión de las heces.

- HÍGADO. Es la glándula más voluminosa del cuerpo. Está situada debajo del diafragma, en el lado derecho del abdomen y ocupa el epicondrio derecho y el epigastrio. El hígado actúa como una glándula de secreción externa. Sus ácidos biliares se encargan de transformar las grasas.

Este órgano constituye la estación metabólica más importante del organismo, ya que actúa sobre los alimentos absorbidos en el conducto digestivo que llegan a él a través de la vena porta. Por las funciones que realiza, se encuentra entre las estructuras más importantes de todo el cuerpo.

- VESÍCULA BILIAR. Está situada en la pared posterior del hígado. Su función es almacenar la bilis producida por éste y excretarla a través del conducto cístico que, junto con los conductos biliares, forman el colédoco que desemboca en el duodeno. La bilis es un jugo que contiene agua, sales biliares, bilirrubina y colesterol.

- PÁNCREAS. La porción de secreción externa de esta glándula vierte sus jugos digestivos en el duodeno, a través de la ampolla de Vater. Estas sustancias contienen enzimas y bicarbonato para neutralizar la acidez del jugo gástrico.

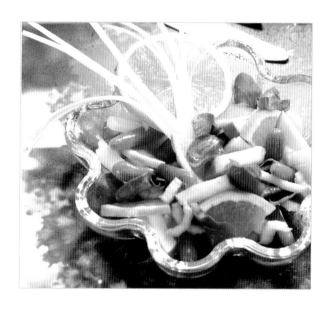

Sistema
inmunitario

LAS FUNCIONES DEL SISTEMA INMUNITARIO O INMUNODEFENSIVO
TIENEN UNA DISTRIBUCIÓN DIFERENTE EN LOS ÓRGANOS
LINFÁTICOS (VASOS LINFÁTICOS) O EN EL TEJIDO LINFOIDE (BAZO,
GANGLIOS LINFÁTICOS, TIMO, AMÍGDALAS Y TEJIDO LINFOIDE
ASOCIADO AL INTESTINO, COMO EL APÉNDICE VERMICULAR).

SISTEMA LINFÁTICO

ONSTA de vasos y tejido linfático o ganglios. Los primeros constituyen un sistema auxiliar del aparato circulatorio sanguíneo. El líquido que contienen se denomina linfa.

Los vasos más pequeños tienen su origen en los tejidos; son particularmente numerosos en el tejido conectivo. Estos capilares son afluentes de vasos linfáticos cada vez mayores que, a su vez, desembocan en otros en una ramificación similar a la del aparato circulatorio. El vaso de mayor calibre es el conducto torácico izquierdo, que drena la parte izquierda del organismo; la inferior derecha comienza en la cisterna de Pecket, en la cavidad abdominal.

El conducto linfático derecho tiene a su cargo el drenaje de la parte superior derecha del cuerpo. En el trayecto de los vasos linfáticos se forman ganglios que actúan como filtros biológicos.

CAPÍTULO 11

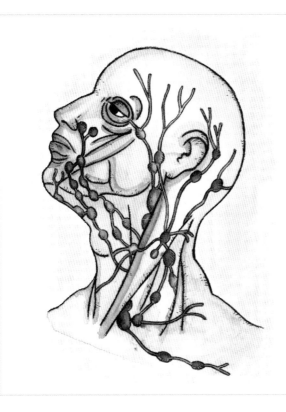

El sistema linfático está compuesto por innumerables vasos y ganglios que actúan como filtros biológicos. Transporta proteínas y moléculas complejas que, por su tamaño, no pueden ingresar en el torrente sanguíneo.

La función del sistema linfático es colaborar con las venas en su misión circulatoria de retorno, cooperando en su drenaje con los capilares sanguíneos, transportando proteínas de estructuras complejas y elementos que, por su tamaño, no pueden ingresar en el sistema sanguíneo, así como la grasa absorbida en el intestino delgado.

BAZO

Es un órgano situado en la porción superior izquierda del abdomen, debajo del diafragma.
Su función es principalmente inmunitaria.

Al igual que los ganglios, realiza la filtración pero, en este caso, de la sangre. También se encarga de la producción de linfocitos o glóbulos blancos.

También fabrica anticuerpos, destruye los hematíes o glóbulos rojos que estén viejos o que sean defectuosos, colabora en el metabolismo del hierro captando hemoglobina y almacena sangre.

CAPÍTULO 12

La auriculoterapia

La observación de las orejas para elaborar un diagnóstico es una práctica que se remonta en China a dos mil años antes del comienzo de la era cristiana; tal como aparece consignado en el libro más antiguo de medicina china que ha llegado hasta nuestros días, «el Huang Di Nei Jing» o «Canon de Medicina del Emperador Amarillo».

Hace cuatrocientos años ya se pensaba que en la oreja estaba representado todo el cuerpo humano y que la manipulación de ciertos puntos que había en ella producía alivio en diversas enfermedades. Durante las epidemias que asolaron China entre los años 561 y 582, Sen S'u Miao trató a los pacientes con auriculoterapia.

Pero lo que más llama la atención son las prácticas populares de diferentes países que toman a la oreja como lugar apropiado para realizar curas en diversos órganos:

- Desde hace siglos, en algunos pueblos de Europa, sobre todo en Italia, se alivian los dolores de ciática produciendo una pequeña quemadura en el pabellón de la oreja, en el punto que hoy está considerado como «punto de la ciática». La referencia más antigua conocida al respecto se encuentra en los informes del médico portugués Zacutus Lusitanus, de 1637.

- Desde los tiempos anteriores a la conquista, en Chiapas, México, se tiene por costumbre tirar

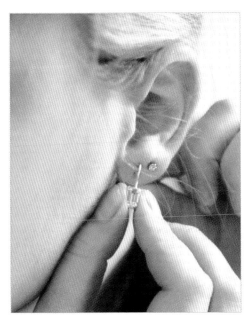

ellas era frotar el borde del pabellón auricular con un trozo de porcelana a fin de aliviar dolores torácicos y diarreas.

Al igual que los indios de Chiapas, tiraban del lóbulo para curar los dolores de cabeza o lo punzaban y sacaban sangre de éste o de la zona posterior del pabellón con el fin de aliviar las irritaciones oculares.

En Europa, el dato más antiguo que muestra la cura de un órgano o sistema por medio de manipulaciones en la oreja nos lo ofrece el célebre médico griego Hipócrates. Para curar la impotencia, practicaba un pequeño corte en las venas situadas en la parte posterior del pabellón auricular. Más tarde, en el siglo XVIII, el anatomista italiano Valsalva recomendó, en su libro *De aura humana tractatus*, la cauterización de cierto punto de la oreja para producir alivio en los pacientes que sufrían odontalgias.

Se estima que fue a partir del año 1956 cuando los médicos chinos

fuertemente de los lóbulos de las orejas hacia abajo a las personas que han recibido un susto. El objetivo de esta práctica es tranquilizar su cuerpo, mente y espíritu.

Si se observa la representación del feto en el pabellón auricular, tal como nos la muestra la medicina tradicional china, se constata que los lóbulos se corresponden con lo que sería la cabeza de la persona. Sin embargo, el descubrimiento de la relación entre lóbulo y cabeza por parte de los indios mejicanos no está basada en ningún conocimiento previo de la medicina oriental.

• Los pueblos agrícolas de la antigua China tenían también una serie de costumbres en las que la salud y la oreja estaban relacionadas. Una de

comenzaron a utilizar agujas que, clavadas en puntos concretos de la oreja, mejoraban la salud de sus pacientes. Al respecto, se ha publicado una experiencia curiosa: la curación de afonías por este método en la provincia de Shan Tung.

Simultáneamente, en la década de los cincuenta, un médico francés, Paul Nogier, se enteró de que muchos pacientes aquejados de ciática acudían a una persona que practicaba el curanderismo la cual aliviaba los dolores haciendo pequeñas quemaduras en ciertos puntos del pabellón de la oreja. Interesado, se puso a investigar el método, dispuesto a hallar una explicación.

En sus comienzos, no intentó curar con calor a sus pacientes sino que se dedicó a presionar los lóbulos de sus orejas a fin de detectar puntos dolorosos o sensibles, relacionando su localización con la enfermedad que sabía que padecían los enfermos. Para poder ejercer una presión más exacta, posteriormente utilizó unos palillos elásticos a los que llamó palpadores de presión.

Sus experimentos le llevaron a realizar un mapa del pabellón auricular en el cual se relacionaban diferentes puntos con los órganos internos o con zonas distantes del cuerpo. En una fase posterior de su trabajo, utilizó un aparato para medir la resistencia eléctrica de los puntos que había descubierto y observó que en ellos era menor que en las zonas adyacentes. Esa comprobación lo indujo a utilizar ese mismo aparato para estimular los puntos reflejos con una corriente de baja intensidad, inocua para el paciente.

LA ACTUAL AURICULOTERAPIA

El conocimiento de los puntos reflejos de la oreja permite dos prácticas concretas: el diagnóstico y la cura. Con respecto a la primera, la medicina tradicional china asegura que la enfermedad o desequilibrio de un órgano se manifiesta

A través de una palpación cuidadosa en las orejas, el terapeuta obtiene información sobre los males que aquejan al organismo.

🔺 *Gracias al diagnóstico hecho a través de la oreja, se pueden tratar muchas de las molestias que se sufren en todas las partes del cuerpo.*

inmediatamente en los puntos de la oreja que se corresponden con él. Mediante la observación visual, en estos casos se pueden detectar diversas anomalías: la aparición de lunares, enrojecimiento, manchas, granos, piel escamada, palidez excesiva, etc. Palpando cuidadosamente la oreja, el terapeuta obtiene más información:

- Puntos con una temperatura superior o inferior a las zonas adyacentes.
- Lugares con extrema sensibilidad, que responden dolorosamente a la presión.
- Deformaciones, nódulos, pequeños bultos.

Estas señales pueden aparecer incluso antes de que se hayan presentado otros síntomas que indiquen la presencia de una enfermedad, razón por la cual esta práctica puede ser considerada como una valiosa herramienta de diagnóstico.

La práctica terapéutica de la auriculoterapia presenta muchas variantes, a menudo combinadas.

- AURICULOPUNTURA. Es la más frecuente y consiste en aplicar agujas de acupuntura en los puntos sensibles a fin de equilibrar el órgano afectado.

- MOXIBUSTIÓN. Se llama así a una técnica de aplicación de calor sobre puntos reflejos, muy difundida en China y Japón.

Esta práctica tiene dos variantes básicas: la moxibustión directa y la indirecta. En la primera, más común entre los japoneses, se hacen pequeñísimos conos, de aproximadamente milímetro y medio de alto, triturando un elemento vegetal (normalmente *Artemisa Vulgaris*). Estos conos se colocan de manera que su vértice toque el punto reflejo y, a continuación, se encienden con una brasa para que entren en combustión. Cuando el cono ha sido reducido a cenizas, queda una pequeña marca en la piel, producto de la quemadura.

La moxibustión indirecta se aplica más en China y hay varias maneras de efectuarla:

1. Se hace un cigarrillo con *Artemisa Vulgaris*, se enciende y se acerca gradualmente la brasa al punto reflejo hasta que el calor se torne insoportable en cuyo caso se retira. Esto se repite varias veces por espacio de, aproximadamente, unos veinte minutos.

2. Se coloca en el extremo opuesto a la punta de una aguja de acupuntura una pequeña bolita de *Artemisa Vulgaris* o cualquiera de las plantas o algas normalmente utilizadas en la moxibustión. Se clava la aguja en el punto reflejo del paciente y, a continuación, se enciende la moxa.

3. Se procede como en el estilo directo pero poniendo entre el cono y la piel una finísima rodaja de jengibre para que la combustión de la moxa no produzca quemadura.

- MASAJE AURICULAR. Consiste en masajear los puntos reflejos de la oreja. Muchos especialistas enseñan a sus pacientes cómo deben hacerse estos masajes de modo que, cada cierto tiempo, puedan estimularse ellos mismos los puntos más apropiados según la relación que tengan éstos con los órganos afectados.

- ESTIMULACIÓN ELÉCTRICA. Existen en el mercado estimuladores eléctricos para el pabellón auricular, construidos en base al que utilizara el médico Nogier en sus investigaciones. Si bien su uso está recomendado para todo tipo de personas, ya que son de fácil manejo, es conveniente que, antes de utilizarlos, se consulte a un

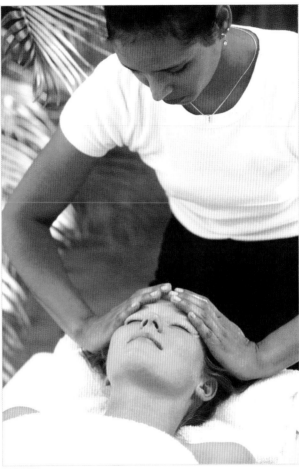

experto acerca del modo en que deba emplearse, así como las conveniencias o desventajas de hacerlo.

- ESTIMULACIÓN LÁSER. Se basa en el mismo principio que la estimulación eléctrica pero lo que se utiliza en ella es un finísimo haz de luz que incide sobre el punto que se quiera estimular.

UTILIDAD DE LA AURICULOTERAPIA

Esta técnica es especialmente apta para aquellas personas que, por razones de alergia o intolerancia, no pueden tomar medicamentos. También es útil para aplicarse a enfermos que se encuentren en lugares aislados o en situaciones en las que haya que esperar la presencia de un médico a fin de aliviar dolores o fortalecer alguna parte del organismo. Sin embargo, cuando es aplicada por un médico debidamente cualificado, es eficaz para paliar una amplia variedad de trastornos:

- Insomnio.
- Estrés.
- Depresión.
- Anestesia, en caso de tener que realizar una cura o intervención lejos de un centro hospitalario.
- Dolores agudos.
- Ayuda en la reanimación cardiaca o pulmonar.
- Tabaquismo.
- Estados alérgicos.
- Reumatismo.

El equilibrio interior que se busca con los masajes, se inicia con la armonía exterior, es decir en el entorno donde se va a aplicar dicho masaje.

excepción del conducto auditivo, tiene varios puntos reflejos que son los que se estimularán para corregir los desequilibrios en los órganos que se correspondan con ellos.

Como toda práctica médica, también tiene sus limitaciones. Hay situaciones en las cuales es desaconsejable efectuar cualquier práctica de auriculoterapia:

- En los dos primeros meses de embarazo.
- En personas muy ancianas.
- Ante infecciones o trastornos en la misma oreja.
- En las enfermedades irreversibles o graves.
- Ante casos de anemia grave.

Entre las ventajas de la auriculoterapia cabe destacar que mejora notablemente la resistencia a las enfermedades, regula el apetito y mejora el sueño.

CÓMO ADMINISTRAR EL MASAJE

En la oreja pueden definirse catorce zonas diferentes. Cada una de ellas, a

Es importante advertir que el automasaje, sea en algunos de los puntos o en toda la oreja, no debe tomarse como sustitutivo de la consulta a un médico, aunque este sea un especialista en auriculoterapia. Si bien esta ciencia puede ser empleada para aliviar dolores o resolver alguna emergencia en un momento y lugar donde no haya posibilidad de auxilio sanitario, no indica que por sí sola, y practicada por una persona ajena a la medicina, sea efectiva para restablecer adecuadamente la salud.

Antes de iniciar cualquier acción terapéutica, lo primero que debe hacerse es un diagnóstico lo más preciso posible. Si se han presentado dolores o indisposición severos, conviene acudir a un médico para que determine las causas. Si el propósito del masaje auricular es mantener un buen tono general de salud, aliviar alguna molestia o servir de ayuda al tratamiento que un médico haya prescrito tener siempre en cuenta que hay dolencias en las cuales el masaje auricular no es ecomendable.

Para realizar un diagnóstico lo más acertado posible, el paciente debe lavarse previamente las orejas o pasarse un algodón con alcohol por el pabellón auricular y luego dejar transcurrir media hora antes de comenzar la sesión, a fin de que

éstas vuelvan a adquirir su temperatura normal. De esta manera se hará más visible cualquier mancha o alteración en la piel. El examen ocular es el primer paso y debe ser seguido por una exploración táctil en la cual se observen bultos, nódulos, zonas dolorosas, etc.
El masaje se puede hacer presionando con el dedo índice el punto que se desee tratar o, si se quiere tocar un punto determinado sin que se ejerza presión sobre otros, se puede usar la punta forrada de un bastoncillo. A tal fin sirven los que se venden para la higiene del conducto auditivo.

LOS PUNTOS REFLEJOS DE LA OREJA

Como se puede observar en el mapa de la oreja que se adjunta, algunos puntos indican claramente su propósito: por

◀ *Entre las ventajas del masaje reflexológico auricular cabe destacar su efecto positivo sobre estados de tensión que desencadenan insomnio, depresión o adicciones.*

Cada uno de los puntos reflejos de la oreja ocupa una superficie muy pequeña; por esta razón, a la hora de estimularlos, los masajistas suelen utilizar bastoncillos o palillos. Para ello el terapeuta debe tener amplios conocimientos de acupuntura.

ejemplo «anestesia de los dientes superiores». Un masaje sobre esa zona proveerá alivio en caso de que doliera alguna de las piezas dentales del maxilar superior.

Sin embargo, la mayoría de los puntos sólo indican el órgano con el cual están relacionados, sin que haya aclaración alguna sobre el efecto que causará un masaje sobre ellos.

Como la auriculoterapia es una ciencia basada en la medicina tradicional china, es necesario tener presentes las relaciones que establecen la teoría del Yin y el Yang y la de los cinco elementos, así como la forma de tonificar o sedar un órgano actuando sobre el punto que

representa al elemento nieto o al elemento abuelo.

Según estas correspondencias, se puede establecer que:

- HUESOS. Para tratar las alteraciones óseas (fisuras, roturas, etc.) es importante trabajar sobre el riñón, la vejiga y el punto que representa la zona afectada (por ejemplo, codo), ya que el riñón se relaciona directamente con los huesos.

- ANSIEDAD.Para combatir la ansiedad, los expertos recomiendan trabajar

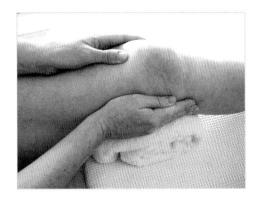

▲ *Los profesionales de medicina china aconsejan que todo el mundo se haga un masaje durante cinco minutos en las orejas, para equilibrar de forma global todo el organismo.*

sobre el corazón y en esta premisa se observa claramente la importancia que tiene en auriculoterapia la ley de los cinco elementos:

1. La ansiedad se corresponde con el elemento agua (riñones).

2. Siguiendo el principio que dice que la tonificación del elemento abuelo (fuego en este caso) seda al elemento nieto, se comprende que, para sedar el exceso de energía en los riñones (nieto) deba actuarse sobre el corazón (abuelo).

Hay, además, un punto específico que actúa sobre la ansiedad. También se recomienda actuar sobre el

▲ *A través de la auriculoterapia se tratan molestias en, por ejemplo, las rodillas.*

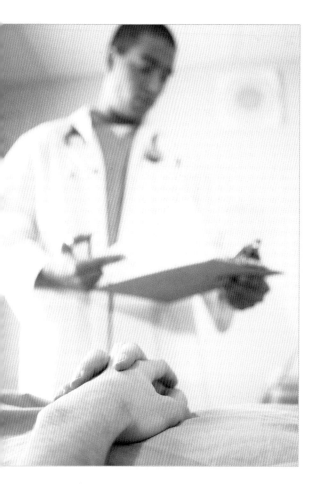

 Antes de diagnosticar cualquier terapia, es conveniente realizar un examen exhausivo de la dolencia, con el fin de que el tratamiento elegido sea el más apropiado para cada caso.

intestino delgado, el grueso y el hígado.

- MEMORIA. Para mejorar esta función del cerebro, conviene estimular el riñón.

- ENFERMEDADES DE LA SANGRE. Se trabajará en riñón, bazo e hígado.

- NARIZ. Además de estimular los puntos propios de la nariz, también conviene hacerlo sobre el pulmón, ya que está relacionada con estos órganos.

- DOLORES MUSCULARES. Para contrarrestar las molestias de las agujetas que se producen tras haber hecho ejercicio, de los calambres o de los golpes que producen roturas en las fibras musculares, se recomienda trabajar sobre los puntos reflejos del hígado y de la vesícula biliar.

- TRASTORNOS OCULARES. El masaje sobre los puntos de los ojos, la vesícula biliar, el hígado y la vejiga pueden proporcionar alivio. Según Tatiana Doroshenko: «La energía patógena viento lesiona más en los días de primavera y perjudica el hígado y daña los ojos».

- URTICARIAS Y ALERGIAS. Para los casos de urticarias, picaduras o alergias que no representen gravedad, en cuyo caso habría que administrar urgentemente un antihistamínico y acudir a un hospital, se puede trabajar sobre el punto específico (urticaria) y sobre el intestino grueso, vejiga,

pulmón, hígado y suprarrenales, entre otros. Muchos profesionales recomiendan a sus pacientes

masajear durante cinco minutos las orejas a fin de equilibrar globalmente todo el organismo.

CAPÍTULO 13

La espondiloterapia

Son muchas y muy variadas las técnicas de manipulación manual sobre la espalda y, en especial, sobre la columna vertebral. Algunas de ellas, sobre todo las que implican el desplazamiento de una o varias vértebras, deben ser aplicadas por un profesional cualificado ya que una manipulación errónea puede dar origen a trastornos muy serios. Otras, en cambio, son técnicas más suaves y su manejo puede ayudar a curar un órgano enfermo o mitigar dolores de diversa procedencia.

Una de estas terapias suaves que, además, trabaja sobre puntos reflejos es la espondiloterapia o reflexoterapia vertebral, elaborada básicamente sobre los trabajos de Palmer. Consiste en masajear o percutir con la yema de los dedos ciertas zonas precisas de la espalda, situadas a lo largo de la columna vertebral. Esta terapia cumple tres fines:

- Aliviar los dolores que el paciente tenga en diferentes partes del cuerpo.
- Ayudar a corregir los desvíos estructurales de la columna.
- Beneficiar reflexológicamente al paciente.

LA MÉDULA ESPINAL

La columna vertebral o raquis es una estructura ósea formada por 33 ó 34 vértebras: 7 cervicales,

12 dorsales, 5 lumbares y 9 ó 10 pélvicas. Las cervicales, dorsales y lumbares son vértebras libres, articuladas entre sí; las vértebras pélvicas están soldadas en dos grupos que conforman los huesos sacro y cóccis. Por su parte, el raquis tiene tres funciones básicas:

- Permitir la posición erguida, propia de la especie humana.
- Hacer posibles los diferentes movimientos del torso.
- Proteger la médula espinal.

Esta última función es fundamental, ya que desde la médula cordones nerviosos pasan a través de los orificios vertebrales e inervan diferentes órganos y sistemas.

Es frecuente que, debido a las malas posturas que exige la adaptación a un modo de vida tan poco natural como es el que se lleva en las ciudades, las vértebras se desplacen dando lugar a las diferentes malformaciones de la columna o que los músculos adyacentes a esta se contraigan involuntariamente y provoquen presiones sobre estos nervios. Cuando esto ocurre, aparecen síntomas de dolor en la zona afectada e, incluso, trastornos en los órganos

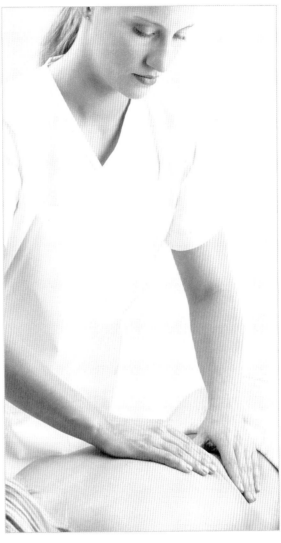

▲ *La espondiloterapia trabaja sobre los puntos reflejos que se encuentran a los lados de la columna vertebral.*

inervados por los nervios próximos. El objeto de la espondiloterapia es, por una parte, relajar estos músculos, disolver estas contracturas y, por el otro, estimular los diferentes pares de nervios raquídeos.

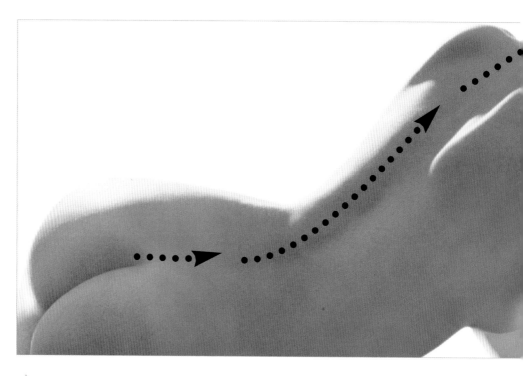

⚠ *A lo largo de la columna vertebral discurren dos filas de ganglios, paralelos a las vértebras. Están unidos entre sí por un cordón que se extiende desde la nuca hasta el cóccis.*

Los trastornos que se pueden mejorar con esta técnica son múltiples: dolores en diferentes partes del cuerpo, circulación, trastornos emocionales, calambres, disfunciones en diferentes órganos y sistemas, etc.

SISTEMA NERVIOSO SIMPÁTICO

Los elementos y estructuras que forman parte del sistema nervioso, pueden dividirse en dos grandes ramas según las funciones que cumplan: sistema nervioso somático y sistema nervioso vegetativo o autónomo. El primero establece las conexiones con el mundo exterior y el segundo, es el que controla, a través de la inervación de diferentes órganos y sistemas, funciones involuntarias como circulación, respiración, metabolismo, etc.

El sistema nervioso simpático (SNS) se subdivide, a su vez, en dos estructuras:

- SISTEMA NERVIOSO ORTOSIMPÁTICO, DEL GRAN SIMPÁTICO O SIMPÁTICO PROPIAMENTE DICHO. Está formado por ganglios de los cuales parten fibras nerviosas hacia distintos órganos. La función de éstas es estimularlos, de ahí que esta rama sea considerada activa.

- Sᴉꜱᴛᴇᴍᴀ ɴᴇʀᴠɪᴏꜱᴏ ᴘᴀʀᴀꜱɪᴍᴘáᴛɪᴄᴏ. Sus centros están en el encéfalo y en el plexo sacro de la médula espinal. Se considera que su función principal consiste en proteger y moderar el gasto de energía.

Sin embargo, aunque se distingan estas dos divisiones, el sistema nervioso simpático es, anatómicamente hablando, una unidad que comprende diversos centros vegetativos:

- Dos cadenas ganglionares que discurren paralelas a cada uno de los lados de la columna vertebral. Los ganglios que las componen se unen entre sí por un largo cordón que se extiende desde la primera vértebra cervical hasta el cóccis.

- Ganglios y nervios esplénicos que se conectan con una gran parte de las cadenas ganglionares citadas y, por otra, con los ganglios y plexos viscerales.

- Ganglios y plexos viscerales que, en los órganos, constituyen aparatos autónomos.

- Nervios simpáticos.

La relación entre estos dos sistemas nerviosos, que en realidad es uno diversificado, se comprende observando la localización de los nervios simpáticos en la sustancia gris del sistema cerebroespinal:

1. En la médula espinal, al nivel de la zona externa del asta anterior.
2. En el encéfalo, al nivel de los núcleos bulbares, protuberanciales y pedunculares de los nervios craneales de los pares 3º, 7º, 9º, 10º y 11º. Aunque se sabe que los centros superiores del sistema nervioso simpático están en el cerebro,

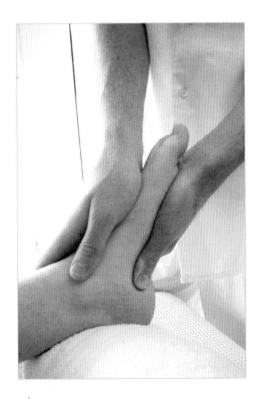

▲ *Un masaje podal puede ser el complemento perfecto para la espondiloterapia.*

aún no se conoce su localización exacta.

A la hora de hacer el masaje espondiloterapéutico, es importante tener en cuenta la distribución de las fibras del sistema ortosimpático, localizado en la médula dorsal. Sus fibras se extienden:

1. Por la piel y las estructuras a ella adyacentes (nervios de las glándulas sudoríparas y nervios que actúan sobre el vello, llamados pilomotores).
2. Por los músculos lisos de todos los vasos sanguíneos (nervios vasomotores).
3. Por el plexo cardiaco (nervio acelerador del corazón).
4. Por la musculatura lisa y las glándulas del aparato respiratorio.
5. Por los músculos y esfínteres lisos del aparato digestivo (nervios motores).
6. Por los músculos y esfínteres lisos del aparato urinario.
7. Por todas las glándulas de secreción interna.
8. Por la musculatura isa del ojo (nervio dilatador del iris).

El sistema parasimpático, a su vez, se divide en dos partes. La primera es llamada craneal, y está compuesta por:

1. Nervio motor ocular común: se extiende por la musculatura del cristalino cumpliendo la función de regular la acomodación y por la del iris, regulando su función de constricción.
2. Nervio facial: se extiende por las glándulas de la nariz, boca, faringe, sublinguales y submaxilares.
3. Nervio glosofaríngeo: se extiende por la carótida.
4. Nervio neumogástrico o vago: se extiende por los músculos lisos y glándulas del aparato respiratorio, inhibición cardiaca y por el tubo digestivo.

La segunda rama, llamada pelviana, se distribuye:

1. Por la porción terminal del tubo digestivo, con excepción del esfínter anal.
2. Por la musculatura de la vejiga urinaria.
3. Por los órganos genitales externos.
4. Por el útero y la vagina.

Los nervios del sistema nervioso simpático son mixtos y regulan todos los movimientos involuntarios del cuerpo (latidos del corazón, respiración, movimientos intestinales, etc.).

Sin embargo, aunque el sistema nervioso simpático actúe de forma independiente de la voluntad, moviendo órganos o estructuras, haciendo que las glándulas excreten hormonas y regulando todas

▲ *Cada zona vertebral se relaciona con las partes del cuerpo que inervan los nervios raquídeos que nacen en ella.*

aquellas funciones que nos mantienen con vida, sí se ha observado que son susceptibles de ser influidos por la psiquis. Las emociones, sobre todo las negativas como la ira o el miedo, pueden alterar, a través de este sistema, otros órganos. Una prueba tangible de ello es la gran variedad de trastornos físicos que produce el estrés o las consecuencias fatales que, sobre el corazón, puede tener un momento de intenso miedo o un disgusto.

Muchos de los trastornos y enfermedades graves están relacionadas con el sistema linfático. Al respecto, cabe decir que los masajes vertebrales pueden ayudar a prevenirlas o a mejorarlas, aunque en las más

serias el proceso de recuperación es muy lento.

PREPARACIÓN PREVIA DEL PACIENTE

En la terapia vertebral, los masajes se hacen con las manos y sin ayuda de aparato alguno.

El paciente se debe colocar en posición decúbito, con las manos sobre la cama o camilla y la frente apoyada en ellas. Los codos deben estar hacia afuera. Conviene que mientras dure el masaje mantenga los ojos cerrados.

Antes de comenzar a tratar cualquier trastorno, es necesario preparar al paciente y a su columna para recibir el masaje terapéutico. Eso se consigue haciendo tres tipos de manipulaciones diferentes:

- PASES NEUROCUTÁNEOS
Consisten en pasar las yemas de los dedos de ambas manos, suavemente, de arriba hacia abajo, trazando con ellas ondas sobre la espalda, a los lados de la columna vertebral.

El efecto de este masaje es favorecer la relajación, de ahí que sean apropiados para iniciar con ellos la sesión en caso de que el paciente sea excesivamente nervioso o sienta temores.

La duración media es de quince segundos, aunque pueden prolongarse a cincuenta o más, en caso de que el paciente no lograra tranquilizarse.

- VACIADO
Consiste en un suave amasamiento que se hace con la palma de las manos y los dedos, desde la nuca hasta el cóccis. La sensación que debe tener el masajista cuando lo hace es la de estar vaciando las venas de esa zona. Deberá ejercer una suave presión sobre las apófisis y sobre los surcos laterales de la columna.

- TECLETEO
Consiste en golpear suavemente las apófisis y los costados de la columna con las yemas de los dedos, como si se estuviera tocando el piano; es decir, no con todos los dedos a la vez. Este masaje debe durar unos diez segundos.

Una vez que se hayan seguido estos tres pasos, se volverán a repetir los pases neurocutáneos en toda la espalda y durante diez segundos para relajar aún más al paciente.

SEDACIÓN Y TONIFICACIÓN

Los masajes de espondiloterapia se hacen colocando la palma de la mano sobre el espacio que queda entre dos vértebras y apoyando sobre ésta el puño de la otra. Se hace una presión sobre el lugar y luego se golpea repetidamente, siempre sobre el dorso de la propia mano. Los golpes deben ser rítmicos y vibrantes para que esa vibración se comunique al nervio.

Por regla general, el ritmo lento de las percusiones tiene un efecto sedante; por el contrario, los rápidos son excitantes y estimulantes.

Una concusión rápida requiere de diez a veinte golpes por minuto y debe ejercerse durante treinta o cuarenta segundos. Una vez hechos estos, se reanudarán nuevamente. En niños menores de 10 años debe reducirse el tiempo de las concusiones a quince o veinte segundos.

PUNTOS A MANIPULAR

Como de cada vértebra salen nervios que se conectan a zonas específicas, los efectos que tenga el masaje sobre cada una de ellas tendrá efectos sobre los trastornos de los órganos que sean inervados por éstos.

VÉRTEBRAS CERVICALES

Los masajes que se efectúen entre la cuarta y séptima vértebra cervical están indicados para combatir el entumecimiento de las extremidades superiores.

- MASAJE DE LA PRIMERA Y SEGUNDA VÉRTEBRAS CERVICALES
  Como estas vértebras se corresponden con el inicio de la médula espinal, su masaje estimula los centros de origen de los cuatro nervios cervicales superiores. Tiene un gran efecto sobre los nervios neumogástrico, frénico y sobre todo los craneales, que benefician a los órganos inervados por ellos.

Este masaje tonifica los ojos, oídos, corazón, diafragma y en la nutrición del cerebro. Ayuda a paliar el vértigo y mejora la memoria.

- MASAJE SOBRE LA TERCERA VÉRTEBRA CERVICAL
  Además de estimular el corazón y los pulmones, tiene efectos saludables sobre la boca en general y en la dentadura.

- MASAJE DE LA CUARTA Y QUINTA VÉRTEBRAS CERVICALES
  Este punto actúa sobre los pulmones, de ahí que su masaje esté

▼ *El masaje de los puntos de la espalda debe contribuir al equilibrio energético de todo el cuerpo.*

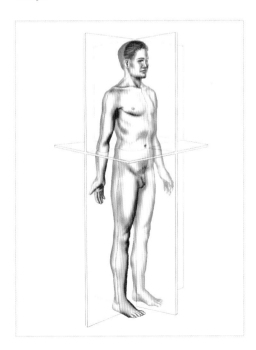

De cada una de las vértebras parten nervios que se dirigen a los diferentes órganos y sistemas. Las alteraciones en la zona, debido a malas posturas o a contracturas musculares, inciden negativamente en el funcionamiento de dichos órganos.

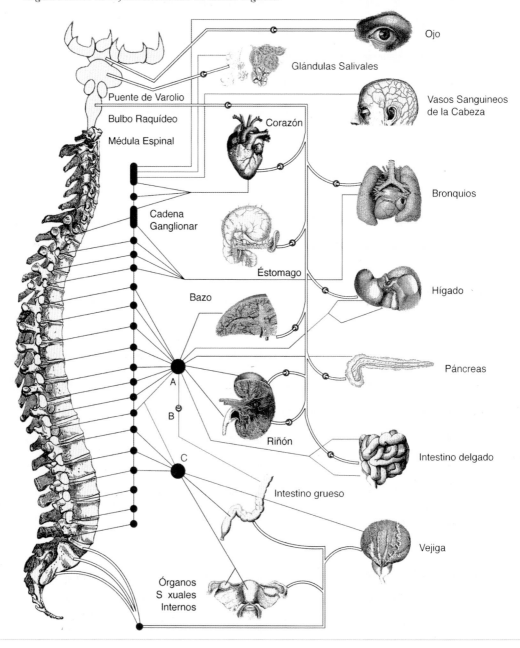

especialmente indicado en las personas que sufran de asma, enfisema o hemorragias nasales o pulmonares. Al respecto, es necesario aclarar que estas enfermedades deben ser, además, tratadas por un médico.

También se recomienda masajear estas vértebras en casos de hipo y en los casos de bocio exoftálmico y cuando se quiera estimular la acción de las glándulas suprarrenales.

Se han descrito, asimismo, efectos saludables de este masaje sobre la voz.

- MASAJE DE LA SEXTA VÉRTEBRA CERVICAL
Es especialmente beneficioso para el aparato fonador y en el tratamiento de algunas dolencias de la glándula tiroides, como el bocio.

Los golpes rítmicos y rápidos, tal y como han sido descritos, sobre la unión de esta vértebra con la séptima, estimulan el corazón, los pulmones y el estómago. También fortalece la cabeza, los brazos y aumenta la temperatura general de todo el organismo.

- MASAJE SOBRE LA SÉPTIMA VÉRTEBRA CERVICAL
En esta vértebra, que es muy fácil de localizar ya que tiene la apófisis más sobresaliente de toda la columna, hay

un reflejo de contracción cardiaca cuya estimulación sirve para aumentar el tono general del sistema simpático. Además es el punto que más incide benéficamente en el corazón.

Con el masaje se puede reducir la presión sanguínea, siempre y cuando ésta sea originada por una debilidad cardiaca.

Una buena manipulación sobre esta vértebra constriñe los vasos sanguíneos de todo el cuerpo. Además, es efectiva para combatir resfriados, gripe, nefrosis y bocio exoftálmico.

En casos de desmayo, un masaje en la zona de esta vértebra será útil para que el paciente vuelva en sí o ayude en caso de que una persona necesite respiración artificial.

Su estimulación da calor en las extremidades y alivia los trastornos relacionados con la angina de pecho. Evita el aneurisma y reduce la arterioesclerosis; calma la tos y contribuye a bajar el azúcar en la sangre en caso de diabetes. También es bueno dar este masaje a los asmáticos, en casos de arritmia cardiaca y taquicardia, frente a las otitis medias y ante alergias producidas por intoxicaciones alimenticias.

Es evidente que los efectos benéficos que se derivan del masaje de la séptima vértebra cervical son múltiples y amplios, de ahí que no es mala idea comenzar a masajear este punto a fin de subir el tono general del sistema simpático y regular las pulsaciones cardiacas a fin de lograr la mejor oxigenación posible.

VÉRTEBRAS DORSALES

- MASAJE DE LA PRIMERA Y SEGUNDA VÉRTEBRAS DORSALES
  Sus efectos terapéuticos se producen en tres zonas distantes del cuerpo: contrae los músculos de los ojos, estimula la actividad del corazón y entona la flexura sigmoidea del colon.

- MASAJE EN LA TERCERA VÉRTEBRA DORSAL
  Estimula el plexo solar, el estómago y los pulmones. Contrae el píloro y mejora los dolores que producen los traumatismos en la caja torácica.

  Es absolutamente perjudicial hacer este masaje a toda persona que padezca tuberculosis pulmonar. Entre la tercera y la cuarta vértebra dorsal hay un punto reflejo que, al estimularse, disminuye la tonicidad del sistema simpático y, a consecuencia de ello, también los órganos que estén inervados por los nervios

que correspondan a éste. Por otra parte su manipulación es útil para reducir la presión arterial, la tensión intraocular y los dolores abdominales en periodos menstruales y premenstruales y para dilatar el músculo cardiaco.

Los masajes en esta zona se recomiendan en pacientes con angina de pecho, que padezcan algunas formas de enfisema o espasmos cardiacos, pero en estos casos conviene, por tratarse de dolencias que entrañan mucha gravedad, que sean proporcionados por un profesional cualificado.

- MASAJE EN LA CUARTA VÉRTEBRA DORSAL
  Los nervios que salen por los orificios de esta vértebra inervan los brazos. Si se quiere proporcionar un efecto analgésico sobre los miembros superiores, se deberá hacer un masaje percusivo con ritmo lento.

  Estos masajes también estimulan todo el sistema nervioso central y el bazo, y fortalecen el músculo cardiaco.

- MASAJE DE LA QUINTA VÉRTEBRA DORSAL
  Al igual que el que se efectúa sobre la

tercera vértebra, estimula el plexo solar, también el páncreas y el hígado. Al dilatar el píloro, se favorece el vaciado del estómago y facilita su peristaltismo.

Su manipulación también está indicada para aliviar los dolores de cabeza, siempre y cuando se tenga en cuenta que su estimulación vaciará el estómago.

Las presiones o masajes en el espacio que queda entre esta vértebra y la anterior producen una contracción de la vejiga y del páncreas, lo cual aumenta la secreción de jugo pancreático. También están indicados en casos de inflamaciones infecciosas de la vesícula y ante la presencia de cálculos biliares.

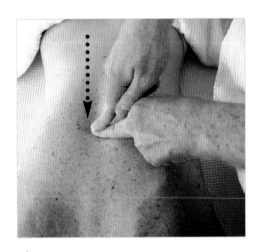

▲ *La presión en un punto concreto desencadena un efecto inmediato sobre el organismo.*

- MASAJE DE LA SEXTA Y SÉPTIMA VÉRTEBRAS DORSALES
  De esta zona parten los nervios que van a los riñones y haciendo una palpación en el espacio intervertebral, un profesional cualificado puede percibir la hipertrofia de estos órganos que, por lo general, se da en uno solo de ellos.
  El masaje está indicado para los casos de nefritis intersticial y de seudo apendicitis.

- MASAJE DE LA OCTAVA VÉRTEBRA DORSAL
  Las manipulaciones que se hacen desde la quinta a la octava vértebra

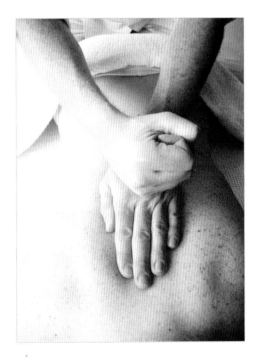

▲ *Estas son las dos maneras de efectuar un masaje a base de golpes, los cuales actúan siempre en órganos concretos.*

dorsal disminuyen la afluencia de sangre al bazo. Dilatan los pulmones, lo cual es muy importante, sobre todo si se quiere evitar que una bronquitis infantil se convierta en bronconeumonía. Este masaje también es aconsejable en los casos de prolapso intestinal.

- MASAJE DE LA NOVENA VÉRTEBRA DORSAL
Aunque también puede ser útil en el tratamiento de algunos trastornos pulmonares, el máximo beneficio lo provee frente a la aparición de cálculos renales o biliares. Dilata también la vejiga urinaria y con ello puede aliviar las molestias que se presentan en los cólicos renales ya que facilita la eliminación de desechos.

- MASAJE DE LA DÉCIMA VÉRTEBRA DORSAL
Es especialmente útil para aliviar los dolores provocados por las úlceras de duodeno y está también indicado en casos de nefritis, estrechez de la glándula mitral del corazón. Si se quieren contrarrestar los dolores ováricos, sean producidos por la ovulación o por cualquier otra causa, conviene hacer sobre esta vértebra un masaje que incluya una percusión de ritmo lento, ya que ésta tiene efectos sedantes.

- MASAJE EN LA UNDÉCIMA VÉRTEBRA DORSAL
Su acción es básicamente vasodilatadora y el efecto más

inmediato que produce es la dilatación del intestino, del hígado y del bazo. Es bueno para combatir el estreñimiento, la diarrea nerviosa y los cólicos intestinales. Favorece la digestión. Sin embargo este masaje está contraindicado en personas que tengan dilatado el corazón o a las que se haya diagnosticado aneurisma arterial.

- MASAJE EN LA DUODÉCIMA VÉRTEBRA DORSAL
Una de las ventajas del masaje sobre esta vértebra es que reduce rápidamente la hipertrofia de próstata. También favorece la constricción de los riñones y alivia los dolores lumbares provocados por la distensión de estos órganos.

Sin embargo, el masaje sobre esta vértebra hay que hacerlo con cuidado, pues agrava los dolores en caso de que hubiera cálculos renales. Si hay prolapso renal, ayuda a que los riñones vuelvan a la posición normal. Está indicado, además, en las nefrosis.

Los masajes realizados entre la décima y duodécima vértebras dorsales producen una dilatación de casi

⚠️ *Las molestias persistentes deben ser tratadas inmediatamente por un profesional antes de que deriven en algo más grave.*

todos los órganos y aumentan el flujo de sangre que llega a los pulmones. Están indicados en casos de angina de pecho y en la parálisis de las extremidades inferiores.

VÉRTEBRAS LUMBARES

El masaje sobre todo el conjunto de vértebras lumbares provoca las contracciones de estómago, intestinos, hígado, bazo y matriz. Por esta razón es adecuado en casos de dilatación estomacal, dispepsias producidas por una movilidad insuficiente del estómago, autointoxicación intestinal, congestión de hígado, hipertrofia de bazo, hemorragia y dislocación de la matriz, amenorrea o dismenorrea. Produce un aumento de glóbulos blancos en la sangre.

- MASAJE DE LA PRIMERA, SEGUNDA Y TERCERA VÉRTEBRA LUMBAR
  Las manipulaciones sobre estas vértebras están indicadas para contraer el esfínter de la vejiga y corregir con ella la incontinencia

urinaria. El masaje sobre la segunda vértebra será más eficaz que el realizado sobre la primera y tercera.

- MASAJE DE LA CUARTA VÉRTEBRA LUMBAR
  Actúa sobre los miembros inferiores fortaleciendo su musculatura o, si se percute con un ritmo adecuado, produciendo un alivio de los dolores que puedan producirse en ellos. También tiene efectos beneficiosos sobre la última porción del intestino.

- MASAJE EN LA QUINTA VÉRTEBRA LUMBAR
  Está especialmente recomendado para la enuresis nocturna; es decir, para controlar la emisión de orina durante el sueño.

- MASAJE EN EL SACRO
  Sirve para conseguir una relajación muscular en la zona de los glúteos y, además, para favorecer la circulación y la eliminación de productos tóxicos del organismo.

ACTITUD DEL MASAJISTA

Cada órgano del cuerpo está inervado por diferentes conductos; es decir, no tiene una sola inervación sino, como poco, dos. En este sentido podría hablarse de una previsión tan sorprendente como la que se observa también en la ramificación de vasos sanguíneos: si por accidente o por cualquier otra razón se interrumpe la circulación en

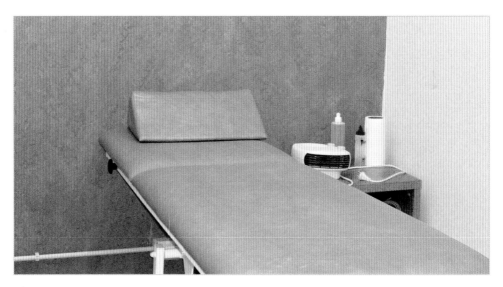

Para realizar un buen masaje es necesario contar con un lugar apropiado y si puede ser, con una camilla especial para masajes.

una arteria, el órgano no quedará sin riego sino que recibirá el aporte de sangre que llega por la otra anastomosada. Como cada nervio está inervado al menos por dos vías, si se secciona una de ellas, el órgano puede seguir recibiendo y enviando impulsos a las estructuras nerviosas superiores.

Sin embargo, también es cierto que todo trastorno nervioso repercute en el órgano inervado de la misma forma que el deterioro de un cable en la red eléctrica altera el funcionamiento de los aparatos o luces conectadas a él. Por esta razón, a la hora de hacer un masaje también hay que tener muy en cuenta las condiciones psicológicas del paciente, aun cuando el masaje tenga por objeto estimular una estructura como el sistema nervioso autónomo, que no se rige por la voluntad.

En el masaje, al igual que en otras disciplinas relacionadas con la salud, es muy importante tener presente que el hombre es una unidad física, mental y emocional, y que las perturbaciones o mejorías en cualquiera de esos tres campos, afectan necesariamente a los otros dos.

El equilibrio del organismo es sumamente delicado y en él se producen pequeños desajustes que, por su escasa importancia, no llegan a ser percibidos.

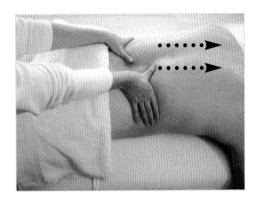

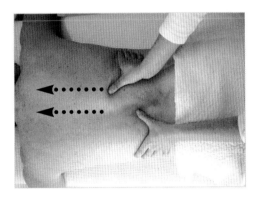

El masaje por frotamiento en la zona lumbar beneficia al estómago, los intestinos, el hígado, el bazo y la matriz, en el caso de la mujer.

Por este motivo es recomendable recibir periódicamente un masaje en las vértebras que garantice constantemente el mejor balance interno posible. El masaje de la columna vertebral requiere una práctica muy especial en la que se utiliza alternativamente la presión y la percusión. Es necesario que los dedos del profesional que los aplique desarrollen la sensibilidad necesaria como para notar los nódulos y contracturas que, a menudo, se forman junto a las vértebras así como para

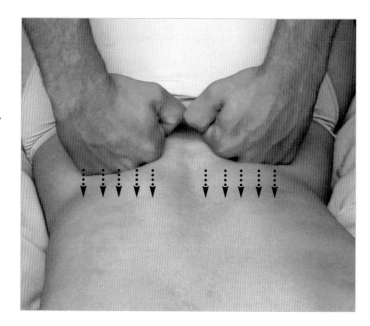

Para trabajar adecuadamente cada parte del cuerpo, es masajista presionará con la fuerza estrictamente necesaria, nunca más de la debida.

percibir hasta la más mínima reacción que el paciente pueda tener durante el masaje.

Si en algún momento se encontrara alguna estructura evidentemente anormal, lo más recomendable será aconsejar al paciente que consulte a un médico antes de efectuar cualquier manipulación en la columna que pudiera empeorar una dolencia de considerable gravedad.

La actitud del masajista determinará, en gran medida, los efectos curativos del masaje. Es necesario despertar, ante todo, la confianza del paciente.

Amasamiento. Se trata de amasar con las dos manos por toda la espalda, en los costados, los hombros y las lumbares. Se elige un músculo o grupo de músculos y se amasan. El resultado es la relajación de los músculos que estén rígidos.

Rozamiento. Se realiza con las palmas de las manos. La presión debe ejercerse con toda la palma y los dedos, para lo cual éstos tienen que estar completamente estirados. Se puede realizar a lo largo de toda la espalda, teniendo en cuenta que los movimientos deben empezar y acabar en la parte inferior de la espalda. Si se busca un efecto sedante, se realizará de forma suave. Si, por el contrario, se busca un efecto vigorizante, se aplicará más enérgicamente.

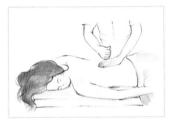

Puños. El masaje con puños se puede realizar presionando directamente los puños en la espalda o bien presionando con un puño la otra mano que estará extendida sobre la zona a tratar. Hay que aplicar bastante presión y es muy indicado para la zona muscular.

Presión. Este tipo de masaje está basado en la acupuntura. La presión se ejerce con la punta de los dedos y durante varios segundos, de forma combinada y sin frotar. El efecto es sedante gracias al desbloqueo que se logra en la zona presionada.

Golpeteo. Se realiza con el canto de las manos. Por lo tanto el dedo que entra en contacto con la piel siempre es el meñique. Su efecto es tonificante, ya que lo que se logra es activar la circulación de la piel y estimular las terminaciones nerviosas de la misma. Se debe aplicar durante varios minutos para obtener el efecto deseado.

Las manos

EN LAS MANOS HAY UNA GRAN CANTIDAD DE PUNTOS REFLEJOS QUE HAN SIDO ESTUDIADOS, SOBRE TODO, DESDE LA ACUPUNTURA. ESTO HA DADO LUGAR A DISTINTAS CORRIENTES TERAPÉUTICAS QUE USAN DIVERSOS MÉTODOS DE CURA MEDIANTE EL MASAJE, LA COLOCACIÓN DE IMANES, AGUJAS O MOXAS, ENTRE OTROS, SOBRE DICHOS PUNTOS REFLEJOS. ENTRE LAS MÁS IMPORTANTES CABE CITAR LA ACROREFLEXOLOGÍA Y EL SU JOK.

REFLEXOLOGÍA ACRA

TAMBIÉN llamada acroreflexología o acroterapia, la reflexología acra técnica que usa dos mecanismos de acción. Para que el organismo esté en perfecto estado, estos dos tipos de puntos deben realizar correctamente sus funciones:

• Puntos topográficos reflexológicos.
• Puntos llave de la mano.

Los puntos reflexológicos actúan llevando el estímulo a través de vías nerviosas hasta el órgano afectado; los puntos llave permiten equilibrar la energía total del paciente ya sea sedando o tonificando, según el tipo de dolencia que padezca.

La forma en la que actúan los puntos reflexológicos, según esta disciplina, se explica por la función que tiene la médula y el sistema nervioso central en los actos reflejos. Al recibir en cualquier parte del cuerpo una lesión, por

ejemplo una quemadura, la respuesta inmediata e instintiva es apartarse del objeto que la produce (acción motora cuya orden parte de la médula espinal).

La parte que ha sido lesionada presenta una serie de síntomas como enrojecimiento, inflamación, etc., debido a que se descargan ciertas hormonas y sustancias químicas que tienen, también, un papel defensivo. Al poco tiempo la piel se restablece, se cura y, en ocasiones, ni siquiera queda la menor cicatriz. Este proceso se produce porque el cerebro ha recibido la información de una lesión determinada y reacciona produciendo la secreción de hormonas a fin de proteger el área. Cuando se masajean los puntos reflejos, la reacción defensiva del cerebro se produce para ese determinado punto pero también para los órganos y sistemas que, en el cerebro, están localizados en el mismo lugar que el punto que se ha estimulado.

PUNTOS DE REFLEXOLOGÍA ACRA

En cada mano hay una representación del cuerpo entero; la palma representa la parte anterior del organismo, y el dorso, la posterior.

El dedo medio o corazón representa la cabeza y las vértebras cervicales, y en la unión del metacarpo con la falange, la séptima vértebra. Siguiendo esta línea hacia la muñeca, se halla el resto de la columna vertebral, el sacro y el cóccis. Los dedos índice y anular representan los brazos y los dedos meñique y pulgar, a las piernas.

En la palma de la mano y en la falange más próxima a la palma del dedo medio, se encuentran los órganos internos.
El corazón se encuentra en la mano izquierda, en el área que también se relaciona con el pulmón.

Las zonas reflejas de la mano pueden ser estimuladas de diversas formas: con presión, calor, punción, electromagnetismo, etc.
Cada mano es recorrida por doce

meridianos de acupuntura sobre los cuales es posible actuar para corregir las deficiencias que puedan tener los diversos órganos o sistemas.

SU JOK, UN MÉTODO COREANO DE REFLEXOLOGÍA

La palabra Su, en coreano, quiere decir «mano» y la palabra Jok se traduce por «pie». Este método terapéutico de origen coreano fue inventado por el profesor Park Jae Woo, quien se basó en su amplia experiencia de la medicina oriental. Toma en consideración sólo los puntos reflejos de manos y pies. Estas zonas reflejas en Su Jok se estimulan por medio de diversas técnicas: aplicación de agujas y moxas, masajes y presiones hechas con los dedos, estimuladores, imanes, láser, etc.

En la acupuntura se trabaja sobre los meridianos que recorren el cuerpo, pero en el Su Jok se hace sobre los puntos finales, que recaen sobre manos y pies.

Una de las ventajas de este método es que permite la autoestimulación, con el consiguiente alivio de las dolencias. Haciendo presión sobre los puntos correspondientes, se puede eliminar un dolor de cabeza, agilizar una

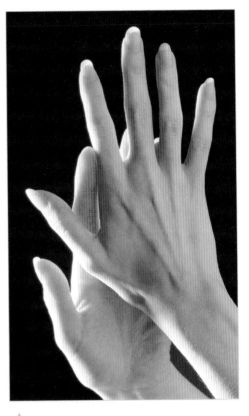

En la reflexología acra, los puntos que se trabajan se encuentran en las manos. Suele utilizarse para dolencias que se localizan en la cabeza.

digestión pesada, obtener un efecto analgésico en las menstruaciones dolorosas, etc.

Según palabras del médico Shah, experto en Su Jok, «con nuestros propios dedos podemos tratarnos a nosotros mismos».

En esta disciplina se considera que el dolor se produce cuando hay un bloqueo de la energía y que una vez restaurado el flujo energético normal, la sensación dolorosa se desvanece. Cada uno de los puntos de las manos representa uno de los órganos; haciendo presión sobre ellos, se puede tonificar o sedar la zona afectada.

EJEMPLO DE LA APLICACIÓN DE LA TERAPIA

Para comprender el uso correcto de esta técnica, es necesario tener en cuenta las bases sobre las cuales ha sido establecida. Estas no son otras que las teorías del Yin y el Yang, de los cinco elementos y las de las seis energías.

Una de las investigaciones más exhaustivas que se han hecho sobre la eficacia de esta técnica terapéutica tuvo como objeto el alivio de las crisis severas en pacientes asmáticos, realizada en el Instituto de Investigación Científica, Tisiológica y Pulmonar del Ministerio de Salud de la República de Uzbekistán. En el artículo publicado por G. Sharafutdinova, el autor explica que el Su Jok permite influir tanto sobre la esfera física como emocional de los pacientes, lo cual es muy importante en el caso de los asmáticos ya que esta afección tiene, en la mayoría de los casos, un gran componente psicológico.

Para los tratamientos de asma se tiene en cuenta la teoría de las seis energías: se considera que la obstrucción de los bronquios se ocasiona por un exceso de calor, la mucosidad responde a un exceso de humedad y el espasmo de los músculos lisos de los bronquios que determinan las crisis, se crean por un exceso de sequedad.

Partiendo de esta base se puede diagnosticar lo que provoca la obstrucción de bronquios: por ejemplo, si el paciente siente molestias cuando toca elementos húmedos, significa que hay un exceso de humedad en el meridiano del pulmón; la hostilidad al masaje indica un exceso de viento.

Conviene frotarse las manos antes de iniciar el masaje, porque así no estarán demasiado frías y el calor que generan desprende mucha energía.

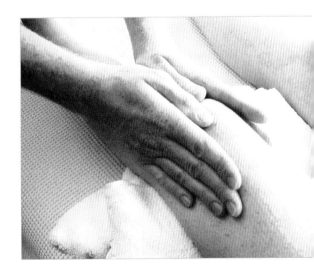

En el estudio se intentó determinar la efectividad del tratamiento con Su Jok sobre el asma. Para ello se reunieron 149 pacientes cuyas edades estaban comprendidas entre los 16 y los 67 años. El diagnóstico fue verificado según el criterio internacional sobre el asma. Se determinaron en cada paciente ciertos parámetros que hacen a la crisis como el grado de obstrucción bronquial y el de ansiedad y se dividió a los sujetos en dos grupos: uno de tratamiento y otro de control.

En los pacientes tratados se utilizaron micro agujas que tocaron los puntos del árbol bronquial, el cerebro, la médula espinal, el diafragma y las glándulas suprarrenales.

Los resultados que se derivaron de la estimulación diaria de estas zonas determinó un descenso notorio de la necesidad de utilizar inhalaciones para controlar las crisis (de 8 a 2), a diferencia del grupo de control (de 8 a 5). Además, el tratamiento resultó ser eficaz en la prevención de resfriados y catarros. Conociendo estos puntos, toda persona asmática puede, perfectamente, hacerse un micro masaje a fin de controlar las crisis.

DOLENCIAS QUE SE PUEDEN TRATAR CON SU JOK

Esta técnica, aplicada sobre las manos o los pies, tiene muchas ventajas:
- Permite iniciar la curación aún antes de que se hayan presentado síntomas.
- El masaje de los puntos está libre de efectos secundarios graves.
- Detiene el empeoramiento de las enfermedades crónicas.
- Alivia los síntomas dolorosos.

Es evidente que en algunas enfermedades el uso de medicamentos puede generar efectos secundarios desagradables. Por poner un ejemplo simple: ante un dolor de cabeza, se puede tomar un analgésico pero éste puede, perfectamente, provocar dolor de estómago. En cuanto a la analgesia, cabe decir que el masaje sobre los puntos de las manos y los pies puede aliviar los síntomas sin tener que pasar por efectos secundarios desagradables.

Este método, además, puede ser aprendido por cualquier persona con un nivel medio de educación, aunque no haya cursado estudios de medicina. Obviamente, cuanto más sepa de anatomía más lejos podrá llegar en sus curaciones.

Entre las enfermedades a las que el Su Jok puede brindar alivio, se pueden citar:

dolores de cabeza, trastornos en huesos, músculos y ligamentos de brazos y piernas como reumatismo, calambres; desórdenes digestivos, trastornos circulatorios, desórdenes ginecológicos y urinarios, trastornos de piel, de nariz, de garganta, disfunciones sexuales, etc.

También puede ayudar a la recuperación de trastornos psicológicos como ansiedad, depresión, adicciones, etc.

LOS PUNTOS REFLEJOS DE LA MANO

El cuerpo humano podría decirse que está formado por un tronco y cinco prominencias: una cabeza, dos

PUNTOS REFLEJOS DE LA MANO

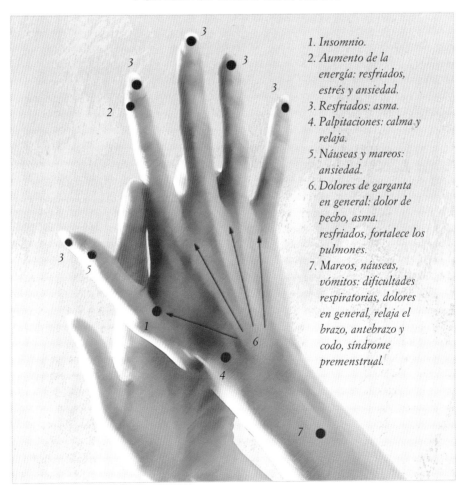

1. Insomnio.
2. Aumento de la energía: resfriados, estrés y ansiedad.
3. Resfriados: asma.
4. Palpitaciones: calma y relaja.
5. Náuseas y mareos: ansiedad.
6. Dolores de garganta en general: dolor de pecho, asma. resfriados, fortalece los pulmones.
7. Mareos, náuseas, vómitos: dificultades respiratorias, dolores en general, relaja el brazo, antebrazo y codo, síndrome premenstrual.

▲ *Las manos tienen puntos de correspondencia con el resto del cuerpo. Por ejemplo, la zona carnosa que se une al pulgar se corresponde con el pecho. Una de las dolencias que resultan más fácilmente aliviadas mediante la manipulación de los puntos de la mano es el asma.*

brazos y dos piernas. Tanto en la mano como en los pies, también podrían citarse cinco prominencias y un cuerpo: la estructura de la palma de la mano y los cinco dedos.

El pulgar corresponde a la cabeza; los dedos restantes, a brazos y piernas. La palma se corresponde con el tronco.

Cada uno de los miembros tiene tres articulaciones mayores:

- Miembros superiores: hombro, codo y muñeca.

- Miembros inferiores: cadera, rodilla y tobillo.

El pulgar de la mano tiene dos articulaciones que se corresponden a la unión del cuello con la cabeza y a la unión del cuello con el tronco. El resto de los dedos, que representan los brazos y las piernas, tienen tres articulaciones, que son las que unen las falanges entre sí.

Si se observan las manos, las analogías con el resto del cuerpo se ven claramente.

Para ver la correspondencia de los puntos, se deben poner las manos con la palma hacia arriba:

- El dedo índice de la mano derecha y el dedo meñique de la izquierda corresponden al brazo derecho.

- El dedo medio de la mano derecha y el anular de la izquierda corresponden a la pierna derecha.

- El dedo anular de la mano derecha y el dedo medio de la mano izquierda corresponden a la pierna izquierda.

- El dedo meñique de la mano derecha y el índice de la mano izquierda corresponden al brazo izquierdo.

- La primera falange del pulgar se relaciona con la cabeza.

- La segunda falange del pulgar se relaciona con el cuello.

- La zona carnosa que se une al pulgar se corresponde con el pecho.

- La palma de la mano se relaciona, básicamente, con el abdomen.

El masaje podal

DENTRO DEL AMPLIO CAMPO DE LA REFLEXOTERAPIA, UNA DE LAS VARIANTES QUE MÁS ÉXITO Y DIFUSIÓN HA TENIDO EN EL ÚLTIMO SIGLO EN OCCIDENTE ES LA REFLEXOLOGÍA PODAL. MUCHOS IGNORAN QUE HAY OTRAS ZONAS REFLEJAS EN EL CUERPO Y, A LA HORA DE HABLAR DE TERAPIAS REFLEXOLÓGICAS, SÓLO SE REFIEREN A ESTA MODALIDAD.

L A razón de su reconocimiento por parte de la comunidad médica en gran parte se debe por un lado a su efectividad y por otro a que esta terapia, a diferencia de la quinesioterapia, la cual al trabajar sobre las vértebras necesita un mayor entrenamiento por parte del masajista, puede ser aplicada por personas que carezcan de entrenamiento específico.

Como en cualquier otro tipo de masaje, hay enfermedades o situaciones que podrían empeorar con el uso de este masaje; sin embargo, sorprende que una técnica al alcance de todos, que produce tantos beneficios para la salud, tenga tan pocas y tan puntuales contraindicaciones.

Este tipo de masaje puede efectuarse sobre personas de cualquier edad; ya sean bebés con pocos días o personas muy ancianas. Se ha practicado, por ejemplo, en caso de mujeres embarazadas durante todo el periodo de la gestación y se ha comprobado que los efectos son beneficiosos no sólo en lo que respecta al parto sino también al bebé. Muchos terapeutas han apuntado que los niños nacen más despiertos, sociables, equilibrados y tranquilos.

El masaje aplicado a los niños da óptimos resultados: les ayuda a mantener un ritmo acelerado de crecimiento, les ayuda a combatir la ansiedad típica de ciertas etapas como la adolescencia, y les facilita, además, la maduración hormonal y la adaptación a los cambios que se producen en cada edad.

También es importante el equilibrio que provee durante el climaterio. En este periodo se opera en las mujeres un importante cambio hormonal que, en muchas ocasiones, viene acompañado de una amplia variedad de síntomas: arrebatos de calor, dolor de cabeza, picores, alteraciones cardiacas, ansiedad, depresión, etc. Estos trastornos que disminuyen la calidad de vida de las mujeres que están en el climaterio se ven reducidos sensiblemente con el masaje podal. Mediante la manipulación de los puntos reflejos del pie se fomenta el equilibrio interno de todos los sistemas y se puede hacer especial hincapié en el endocrino de manera que en éste se efectúen los cambios propios de la edad suave y armónicamente.

No es necesario estar enfermo para recibir un masaje podal. Lo interesante es acudir a esta terapia antes de que los síntomas de cualquier enfermedad se presenten porque si hay algo que no funciona adecuadamente en el

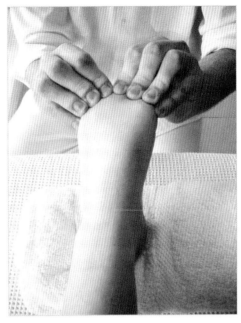

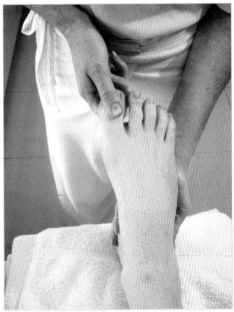

El masaje podal, al igual que otras terapias parecidas, aporta muchos beneficios al organismo y recupera el equilibrio en el funcionamiento de los distintos órganos.

organismo, el masajista detectará la anomalía y buscará la manera de ponerle remedio antes de que sea demasiado tarde.

Por otra parte, el masaje podal armoniza todo el organismo haciéndolo más resistente a todo tipo de enfermedades.

Las personas que reciben periódicamente un masaje podal se encuentran mejor preparadas para hacer frente a los problemas diarios; también tienen una mayor capacidad de respuesta y una mejor resistencia a las frustraciones y al esfuerzo.

OBSERVACIÓN Y PALPACIÓN DE LOS PIES

La medicina tradicional china, dentro de la cual se pueden encontrar las raíces de la terapia reflexológica podal, considera al ser humano como una unidad, como un todo y entiende que en ciertas partes del organismo, como son los pies o la oreja, están representados todos los órganos y sistemas; constituyen una suerte de imagen holográfica en la que cada punto refleja el estado de un órgano y, a la vez, es

susceptible de enviar al órgano representado estímulos que promuevan su equilibrio.

Cuando el masajista palpa los pies, recibe información de todo el organismo; cada nódulo, dureza o contracción describe no sólo el estado del órgano o sistema que en ese punto está representado sino, más aún, su relación con las estructuras adyacentes.

Obviamente no todos los pies son iguales sino que tienen diferencias de tamaño, forma, musculación, temperatura, etc. Por esta razón, los mapas de reflexología que muestran los diversos puntos reflejos del pie son sólo aproximativos. Es tarea del masajista desarrollar en sus dedos la sensibilidad necesaria como para encontrar cada uno de ellos en los pies que esté tratando. Con su tacto y la observación de las reacciones de la persona que recibe el masaje, podrá determinar sin errores la localización de cada punto, así como el estado general de salud del receptor. Sin embargo, existe una representación gráfica global que relaciona el organismo con los pies de forma tridimensional, que sin duda ayudará al masajista a la hora de hacer su trabajo.

La relación entre los puntos reflejos de los pies y los diferentes órganos es «biunívoca»; es decir, si el

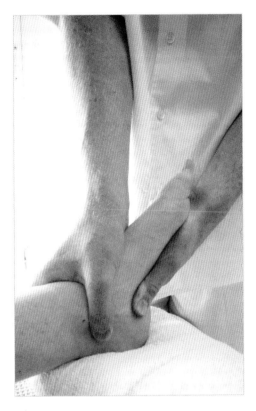

Antes de proceder al masaje, es necesario recorrer con las manos toda la superficie del pie y del tobillo a fin de detectar las anomalías.

órgano enferma, sufre trastornos en su estructura o en su superficie y si aparecen anomalías en los pies, éstas inciden inversamente sobre el órgano representado en la zona en la que hayan aparecido. Por ejemplo, si se presenta un problema en la zona superior de la espalda, se producirán molestias o sensibilidad dolorosa en la zona refleja del pie. La respuesta automática del organismo ante estas molestias es adoptar

posturas que eviten la percepción del dolor; hacer pequeñas correcciones mediante la tensión de músculos que alivien las compresiones que pudieran efectuarse como un nervio y que serían las que son percibidas como dolor. En este caso, esa zona del pie adoptaría lo que podríamos llamar una «postura incorrecta», antinatural y a la larga, podría determinar la aparición de un juanete. Por el contrario, el uso de zapatos con punta excesiva que pudieran facilitar el desarrollo de un juanete produciría una sensibilidad dolorosa en la parte superior de la espalda.

La columna vertebral está representada en ambos pies, en el borde interno, a lo largo del arco longitudinal, primer metatarsiano. El área de representación de la columna y los órganos internos que ocupan la parte central del cuerpo está desdoblada y amplificada en la zona longitudinal del borde interno de los dos pies.

En el borde externo, en la zona del quinto metatarsiano, están localizados los brazos y los hombros. Los tobillos o maleolos son una representación exacta de la pelvis: el interno, la sínfisis pubiana, y el externo, la cadera. Juntos

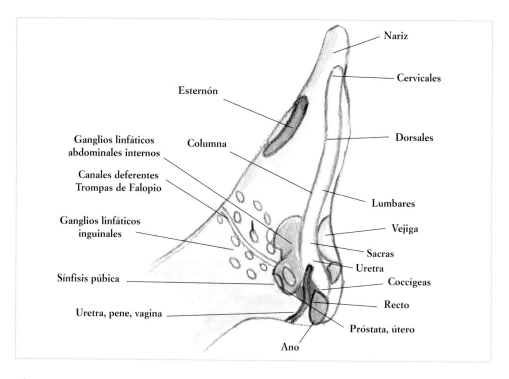

Nariz

Cervicales

Esternón

Dorsales

Ganglios linfáticos
abdominales internos

Columna

Lumbares

Canales deferentes
Trompas de Falopio

Vejiga

Ganglios linfáticos
inguinales

Sacras

Uretra

Síntisis púbica

Coccígeas

Recto

Uretra, pene, vagina

Próstata, útero

Ano

Las diferentes zonas de la planta del pie, los dedos y el empeine, así como las adyacentes a los tobillos, se corresponden con órganos específicos.

representan la articulación sacro-ilíaca de cada mitad del cuerpo. Los órganos que ocupan la parte media y superior del tórax se reflejan en la zona más musculosa de los pies. Los órganos pares se manifiestan en el pie que corresponde al mismo lado; el corazón se refleja en el pie izquierdo, y el hígado, en el derecho.

Si se muestran ambos pies encuadrando en ellos una figura humana sentada, se comprende fácilmente la explicación anterior.

LA TOPOGRAFÍA DEL PIE

Los mapas podales muestran la distribución de los puntos relacionados con los órganos y sistemas; sin embargo, estos mapas son dibujos en dos dimensiones, en tanto que el pie tiene también volumen.

En la cartografía del pie, las áreas correspondientes a cada zona del cuerpo a menudo se superponen. En el talón, donde el intestino grueso tapa parte del hueso ilíaco o en el caso del uréter, que en su recorrido se antepone al intestino y al páncreas.

Las zonas reflejas del pie se pueden agrupar, por su localización, en diferentes áreas:

DEDOS

Estos se nombrarán numéricamente a partir del dedo gordo, que será el 1°, hasta el dedo meñique, que será el 5°. A excepción del primero que tiene dos falanges, el resto tiene tres. La que contiene la uña es la falange distal. Le sigue la media y, por último, la que está junto al cuerpo del pie es la proximal.

PLANTA DEL PIE

- ARCO LONGITUDINAL. Recorre la planta del pie, desde los dedos hasta el talón.

- ARCO TRANSVERSAL ANTERIOR. Discurre paralelo a los dedos y junto al pliegue que forman estos en la planta del pie.
- TALÓN. Visto desde la planta, está formado por el hueso calcáneo.

DORSO DEL PIE

Se localizan en él cuatro zonas:

- METATARSO O ANTEPIÉ. Formada por la porción de los cinco huesos largos del metatarso que se unen a las falanges que forman los dedos.
- ZONA DORSAL. Está constituida también por los huesos del metatarso en la zona más cercana a los huesos del tarso.
- EMPEINE. Su punto medio podría situarse alrededor de la unión del tarso y el metatarso.
- TARSO. Zona contigua al empeine, que llega hasta casi el inicio de la pierna.

TOBILLOS

Los tobillos o maleolos son dos, el peroneo y el tibial; la zona que se encuentra entre ambos, por la cara anterior de la pierna, también se considera área maleolar. Por su cara posterior, en cambio, se considera perteneciente al talón.

El pie es una de las estructuras mecánicas más perfectas. Los elementos que lo componen actúan con una asombrosa sincronicidad y, gracias a ello, pueden verse sometidos a presiones y tensiones enormes (saltar, correr, etc.).

En un pie normal, el peso de todo el cuerpo está sostenido sólo por tres puntos de apoyo: dos están situados en el metatarso y uno, en el talón.

Un complejo sistema de fuertes tendones procedentes de los músculos de la pierna, además de los músculos y ligamentos propios, contribuyen a fijar las diversas piezas óseas que lo forman. Las almohadillas que soportan el peso en los tres puntos están formadas por tejido adiposo. En toda su superficie está recorrido por vasos sanguíneos y linfáticos, nervios, vainas tendinosas, fascias y piel.

Todos los músculos de la planta del pie están cubiertos por la aponeurosis plantar fuerte y densa formada por dos fascículos que provienen de la tuberosidad calcánea y se extienden hacia los dedos. El papel fundamental de esta aponeurosis es el mantenimiento de la bóveda plantar longitudinal (arco longitudinal) que protege a vasos y nervios de las presiones.

CÓMO EMPEZAR Y TERMINAR UN MASAJE PODAL

Después de palpar y observar los pies, se realizará un masaje general para calentar, desbloquear y movilizar las articulaciones. Una vez efectuado esto, se comenzará con el masaje reflejo propiamente dicho. Para ello, es importante trabajar en primer lugar el punto diana que tiene una decisiva actuación sobre las tensiones: el plexo solar.

Este punto está situado en la zona plantar, en la porción superior del metatarso, bajo el arco transverso, entre el segundo y tercer metatarsiano donde se inicia el arco longitudinal.

Los haces nerviosos, en su trayectoria hacia la zona que inervan, se entrecruzan y fusionan formando plexos. El plexo solar, también llamado plexo celíaco, es un centro que pertenece al sistema nervioso autónomo o vegetativo. Anatómicamente está situado en el epigastrio, en la zona posterior del estómago e inferior al diafragma. Está constituido por los nervios esplénicos mayor y menor, el nervio vago, el nervio frénico y los

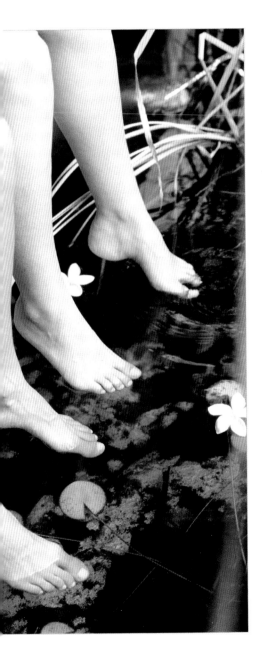

ganglios celíacos o semilunares. Inerva los órganos de la cavidad abdominal y de él salen plexos secundarios como el frénico, suprarrenal, renal, espermático, esplénico, gástrico superior, hepático, mesentérico superior y aórtico abdominal.

Este punto tiene una gran importancia por ser, precisamente, el lugar donde se entrecruzan, fusionan y salen los troncos nerviosos destinados a inervar los órganos vitales y gastrointestinales. Por lo general, su sensibilidad es muy alta y está afectado, aproximadamente, en el 90% de las personas a las que se les explora. De ahí que sea necesario trabajarlo en primer lugar.

Otro factor a tener en cuenta es su potencial energético y espiritual. Las culturas orientales han considerado al Chakra del plexo solar unas cualidades relevantes: centro del temperamento, de la autorrealización, del ego, etc. Este centro se impresiona con las vibraciones externas pudiendo llegar a bloquear funciones fisiológicas. Cualquiera que haya estado al lado de un potente altavoz que emita sonidos graves, habrá podido constatarlo perfectamente.

En el plexo solar (o en la boca del estómago, como se le llama coloquialmente) toda persona ha sentido una serie de sensaciones

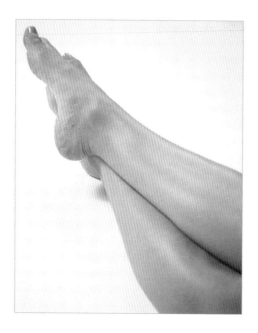

Un masaje general sirve para calentar, desbloquear y movilizar las articulaciones.

sensibilidad molesta que, no obstante, le resulta relajante. Esa sensación, poco a poco se expande al resto del organismo.

A medida que se avanza en el masaje el núcleo se va distendiendo y no es raro que, ante el contacto con el pulgar, la zona empiece a transpirar débilmente, señal de que se están disolviendo emociones retenidas. También pueden presentarse reacciones más claras del paciente como suspiros, lagrimeo e, incluso, llanto.

diversas relacionadas con estados emocionales. El miedo, la ansiedad e incluso la alegría pueden ser fácilmente percibidas en este punto nervioso.

Es frecuente encontrar en su zona refleja un endurecimiento profundo, granulaciones, abultamientos y enrojecimientos. El paciente, al ser manipulado, puede sentir una especial

Es necesario masajear el plexo solar tres veces a lo largo de la sesión: al principio, para iniciar la distensión, en el medio, para ahondar más en ella, y al final, para armonizar el organismo en su totalidad.

Si el paciente está muy nervioso o ansioso es recomendable masajear las zonas reflejas del plexo solar en ambos pies antes de continuar con el resto de los puntos.

CAPÍTULO 16

El sistema nervioso

CUANDO SE PRODUCE CUALQUIER PROBLEMA DE ORIGEN NERVIOSO, LOS PUNTOS QUE SE VEN INVOLUCRADOS SON LOS QUE SE ENCUENTRAN EN EL DEDO GORDO Y EN LA LÍNEA PARALELA AL BORDE INTERNO DEL PIE, QUE ES DONDE ESTÁN REPRESENTADOS EL ENCÉFALO Y LA MÉDULA ESPINAL.

EN el dedo se encuentran las zonas relacionadas con la corteza cerebral: el área visual, auditiva, motriz, etc. y de la médula parten los nervios raquídeos que inervan diferentes órganos y sistemas.

Se percibirán puntos molestos o dolorosos en jaquecas y dolores de cabeza, ya que a menudo éstos se producen por la compresión de algunos nervios de la zona (por ejemplo en la neuralgia del trigémino). Debido a la función reguladora de las glándulas endocrinas realizada por los órganos del encéfalo, los puntos con ellos relacionados pueden tener también una mayor sensibilidad en los casos de disfunciones hormonales.

Dada la conexión que el sistema nervioso tiene con el resto de los órganos y sistemas, podrá notarse una mayor sensibilidad en sus puntos reflejos cuando el paciente sufra de las más diversas dolencias: vahídos, mareos, falta de riego sanguíneo, alteraciones orgánicas o estructurales, trastornos de sueño, neuralgias, falta de memoria o concentración, procesos inflamatorios o tumorales, epilepsias, enfermedades degenerativas, pinzamientos, falta de tono muscular, trastornos de conducta y personalidad, etc.

▲ *El masaje sobre el sistema nervioso es uno de los que produce los efectos más evidentes en el resto de nuestro organismo.*

Es frecuente que muchas personas presenten una hipersensibilidad en el dedo gordo ya que cualquier problema ambiental, emocional o físico puede producirla sin que ello indique la presencia de una enfermedad específica. Es en el dedo gordo donde más se reflejan los trastornos producidos por el estrés.

BENEFICIOS DEL MASAJE SOBRE EL SISTEMA NERVIOSO

Los resultados del tratamiento de los puntos reflejos relacionados con el sistema nervioso posiblemente sean los más espectaculares. El trabajo sobre estas zonas supone, por sí solo, un aumento de la actividad y del equilibrio de todas las funciones orgánicas, glandulares, viscerales, intelectuales y sociales. Es como trabajar sobre el control central del organismo: si éste funciona correctamente, las órdenes que envíe a cada uno de los órganos y sistemas será la adecuada.

Cualquiera que sea la afección que presente el paciente, en ella estará involucrado el sistema nervioso; por lo tanto, cualquier masaje que se haga sobre los puntos reflejos con él relacionados tendrá un efecto provechoso y reparador.

PUNTOS REFLEJOS DEL PIE

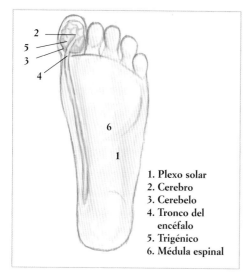

1. Plexo solar
2. Cerebro
3. Cerebelo
4. Tronco del encéfalo
5. Trigénico
6. Médula espinal

Este diagrama reflejo del sistema nervioso central muestra los puntos reflejos de cada pie. Conviene recordar que tienen las posiciones cruzadas: la parte derecha del cerebro se relaciona con el pie izquierdo y viceversa.

plantares, constituyen una zona expuesta a reblandecimientos producidos por el sudor que son, por ello, muy propensas a las infecciones micóticas. También es una zona que, después de la ducha, a menudo no queda del todo seca y eso también aumenta el riesgo de infecciones, grietas, etc.

LOS CINCO SENTIDOS

Los órganos o estructuras que conforman los cinco sentidos también tienen su representación en el pie. Los puntos relacionados con los órganos receptores, a excepción del tacto, se encuentran en los dedos

Es habitual observar una marcada sensibilidad en estas zonas reflejas, ya que los dedos, en sus tres caras

Las zonas reflejas de los sentidos son las siguientes:

• GUSTO. El gusto, así como los diferentes órganos o estructuras que se encuentran en la boca, tienen su zona refleja en una estrecha franja situada en la falange proximal del lado en que se une a la falange distal, de modo que esta zona se presentará más sensible ante las infecciones de la boca, dientes, molestias en la lengua, encías, etc. El área inmediatamente superior, en ese dedo, corresponde al olfato.
• VISTA. Cualquier problema de visión, ya sea miopía, astigmatismo o hipermetropía, afectará la zona refleja correspondiente. La sensibilidad será más acusada en el dedo segundo (ojo interno) que en el tercero (ojo externo). En cambio si existe un

SISTEMA NERVIOSO

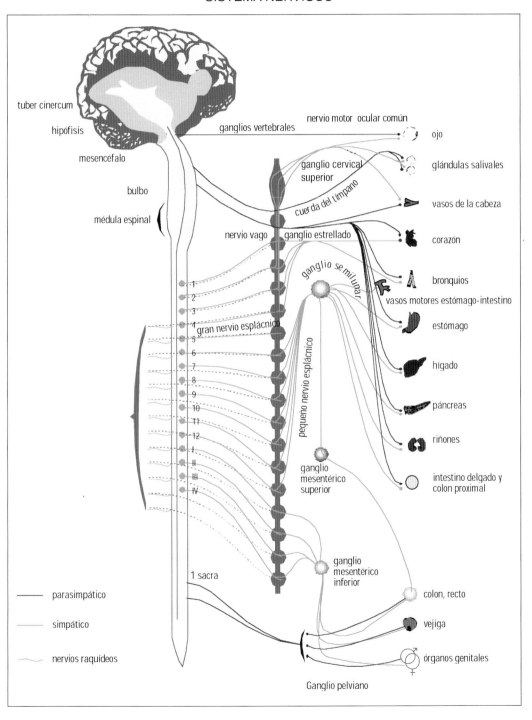

tuber cinercum

hipófisis

mesencéfalo

bulbo

médula espinal

ganglios vertebrales

nervio motor ocular común

ganglio cervical superior

cuerda del tímpano

nervio vago

ganglio estrellado

ganglio semilunar

gran nervio esplácnico

pequeño nervio esplácnico

ganglio mesentérico superior

ganglio mesentérico inferior

1 sacra

ojo

glándulas salivales

vasos de la cabeza

corazón

bronquios

vasos motores estómago-intestino

estómago

higado

páncreas

riñones

intestino delgado y colon proximal

colon, recto

vejiga

órganos genitales

Ganglio pelviano

—— parasimpático

—— simpático

~~ nervios raquídeos

problema de conjuntivitis o queratitis, el dedo más sensibilizado será el tercero.

- Oído. Otro tanto ocurre con los problemas de audición: según su origen, habrá una mayor sensibilidad en el cuarto dedo (oído interno) y en las caras enfrentadas de los dedos cuarto y quinto (oído interno).
El quinto dedo refleja el pabellón auditivo externo. Tanto los ojos como los oídos ocupan la porción del cuello y base del dedo, sin contar la zona del pulpejo.
- Olfato. Los puntos reflejos del olfato, que sirven también para aliviar las dolencias que afecten la nariz, se encuentran justo encima de los puntos reflejos del gusto; es decir, en el lugar en que se unen las falanges proximal y distal del dedo gordo.

⚠ *Muchas dolencias óseas no son graves pero producen dolores y limitan excesivamente los movimientos de la persona que los padece.*

Los efectos del masaje podal sobre los sentidos puede ayudar a aliviar las dolencias que pudieran aparecer en cualquiera de los sentidos; al regular la circulación de la sangre y de la energía en todo el organismo, los órganos de los sentidos se tonifican.

En las personas sanas, tratadas con masaje podal periódico para prevenir dolencias y fortificar el organismo, se ha observado que la percepción de todos los sentidos mejora notablemente. Son muy frecuentes los casos en los que el paciente experimenta una mayor audición.

DIAGNÓSTICO Y TERAPIA. SISTEMA ÓSEO

La corrección de los diferentes trastornos del sistema óseo es fundamental para una buena calidad de vida.

Hay múltiples dolencias óseas que, sin ser graves, limitan las posibilidades de movimiento o acarrean dolores constantes e insidiosos. Tal es el caso de los reumatismos o de los dolores de espalda producidos por malas posturas. Podría decirse que, salvo las personas que habitualmente hacen ciertos deportes especialmente beneficiosos, todos los adultos padecen algún trastorno de columna o en cualquiera de las articulaciones.

LA COLUMNA VERTEBRAL

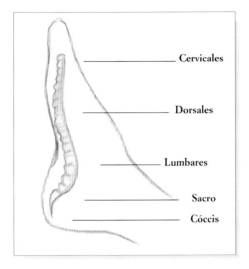

Cervicales

Dorsales

Lumbares

Sacro

Cóccis

▲ *La columna vertebral también está representada en la planta del pie.*

CABEZA Y HUESOS DEL CRÁNEO

En las zonas reflejas que corresponden al cráneo se manifiestan muchas tensiones, sobre todo en el área de la nuca y en la articulación del maxilar inferior con el hueso temporal. La zona de la mandíbula, en el pie, suele estar invadida por durezas y callos que ponen de manifiesto lo que ocurre en esa parte del cuerpo.

Cuando se viven tensiones emocionales, es común que se aprieten las mandíbulas, que se cierren fuertemente los dientes o que se hagan rechinar en sueños. Esto implica una tensión desmedida para los músculos que mueven la mandíbula inferior.

Los problemas odontológicos se evidencian en el pie a través de durezas, hipersensibilidad o dolor en la zona en que se unen las dos falanges del dedo gordo.

La nuca, zona que suele soportar muchas tensiones psicológicas, se observa en las alteraciones que se producen en el dorso exterior del dedo gordo.

EFECTOS DEL MASAJE PODAL SOBRE LOS HUESOS DEL CRÁNEO

El masaje sobre estas zonas será, principalmente, analgésico; al relajar los músculos que se han tensado, el alivio es inmediato.

La contracción de los músculos de la nuca suele acarrear, además, trastornos circulatorios. El masaje ayudará a resolverlos y permitirá una mayor afluencia de sangre a la cabeza, con la consiguiente oxigenación en los órganos del sistema nervioso. Ese aporte energético al centro de control del organismo sin duda beneficiará a todos los sistemas.

Si existen callos o durezas en el lugar en que se encuentran los puntos, es conveniente ir al podólogo ya que las alteraciones en los pies también repercuten en los órganos y sistemas que representan.

COLUMNA VERTEBRAL

La sensibilidad de las zonas podales relacionadas con la columna son muy frecuentes. Pueden deberse a problemas vertebrales, pinzamientos, malos asentamientos de las vértebras, contracturas musculares, procesos degenerativos, traumatismos, lesiones, anomalías posturales, sobreesfuerzos, carga de pesos excesivos, deformaciones profesionales (por ejemplo la lordosis lumbar que presentan las gimnastas o la cervical, propia de profesiones que incitan a una inclinación de la cabeza, como la de bordadora), y a muchas otras causas.

EFECTOS DEL MASAJE PODAL SOBRE LA COLUMNA

Los resultados de un masaje sobre los puntos reflejos de la columna son tan importantes como los que se hacen sobre los puntos del sistema nervioso central.

Al reflejarse sobre los nervios raquídeos, las manipulaciones producen un gran alivio en las tensiones musculares que, en ocasiones, son reflejo del mal funcionamiento orgánico; sobre todo si se relacionan con las vértebras dorsales, ya que los nervios que parten de ellas se dirigen al sistema digestivo. También son dignas de ser señaladas las mejorías que se producen en el sistema genitourinario al masajear la zona que se corresponde con las vértebras lumbares.

Sobre los huesos de la columna y los músculos y ligamentos que los mantienen en su lugar, la manipulación de los puntos reflejos del pie produce mejorías frente a: dolores reumáticos, artrosis, pinzamientos y deslizamientos vertebrales. Como la columna vertebral es el eje central del cuerpo sobre el que se apoyan los bloques articulares principales (el escapular, que sostiene los brazos, y el pélvico, en el que se articulan las piernas), también alivia trastornos de los miembros superiores e inferiores. Con la manipulación de los puntos de la columna se puede, por ello, ayudar al tratamiento de cualquier alteración articular, como por ejemplo el adormecimiento de los miembros producido por compresiones sobre nervios y vasos, consecuencia de una mala alineación vertebral, posturas incorrectas, movimientos repetitivos o tensiones.

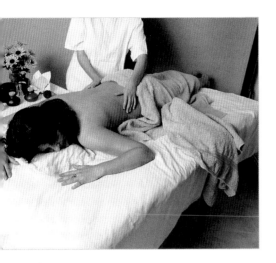

Las técnicas de masaje podal y la espondiloterapia suelen dar excelentes resultados a la hora de aliviar los problemas musculares.

También se pueden obtener buenos resultados en casos de insensibilidad periférica en los dedos, que pueden ser causados por problemas similares a los descritos en el párrafo anterior.

Son especialmente recomendables los tratamientos en casos de lumbalgias o ciáticas, que pueden ser complementados con otros manipulativos como el quiromasaje en la zona afectada.

LAS ARTICULACIONES

LA CINTURA ESCAPULAR

La cintura escapular tiene, como el resto de las zonas del cuerpo, sus propios puntos reflejos en los pies:

- COSTILLAS. Las áreas reflejas que se relacionan con estos huesos se encuentran en el metatarso o antepié; partiendo de la línea que nace del dedo medio hacia fuera.

- ESTERNÓN. Su zona discurre en el antepié, en sentido longitudinal y partiendo del 3º dedo.

- CLAVÍCULAS. Para diagnosticar cualquier problema de clavícula o para tratarlo, se deberá deslizar el dedo sobre el antepié, en un arco hacia fuera que parta del dedo medio.

- ESCÁPULAS U OMÓPLATOS. Las zonas reflejas de los omóplatos están situadas en la misma línea que las clavículas pero en la planta del pie; sobre la zona externa del arco transverso anterior.

EXTREMIDADES SUPERIORES

Las zonas correspondientes a los miembros inferiores son:

- HÚMERO. Su zona refleja discurre por el borde externo del pie, a la altura del metatarso, como continuación del dedo meñique.

- CODO. Hacia la mitad del borde externo del pie, se encuentran los puntos reflejos que se corresponden con el codo del mismo lado.

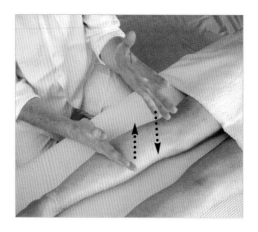

Para llevar a cabo un masaje en las pantorrillas lo primero que se debe hacer es dar golpecitos con el canto de la mano para activar la zona. Después se realizará un masaje por frotamiento de manera constante.

CINTURA PÉLVICA

En general, las zonas reflejas correspondientes a la cintura pélvica se localizan en las áreas adyacentes a los tobillos.

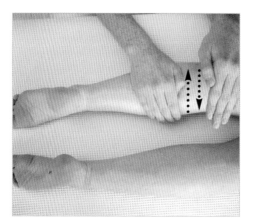

- COXAL. Sus puntos reflejos se encuentran en ambos tobillos. Allí también está reflejada la articulación con el fémur.

- ILION. La cresta ilíaca tiene sus zonas reflejas en el tobillo externo del mismo lado.

- ISQUIÓN. Sus puntos reflejos están hacia la zona media del talón.

- PUBIS. Las áreas reflejas del pubis están situadas en los tobillos internos.

EXTREMIDADES INFERIORES

Si los trastornos se producen en las extremidades inferiores, sobre todo en los pies, tal vez no sea posible dar en él un masaje. Sin embargo, teniendo en cuenta las zonas reflejas laterales y contraleterales, se podrá ayudar a su recuperación.

- FÉMUR. La alteración más habitual, sobre todo en mujeres mayores, es el desgaste de la cabeza del fémur a causa de la osteoporosis. Eso genera serios problemas en su articulación con el coxal. Las áreas reflejas de esta articulación se encuentran en el tobillo externo del mismo lado.

- RODILLA. Los puntos reflejos que se corresponden a esta zona están en la parte inferior de la pierna, sobre los tobillos. Esta es el área que deberá ser masajeada para los dos problemas más comunes que son la artrosis en las rodillas y las lesiones en los meniscos.

- TIBIA. Sus puntos reflejos, al igual que los del peroné, se encuentran en el sector de la pantorrilla adyacente al pie.

- PERONÉ. Los puntos reflejos están localizados justo encima del punto de la rodilla, prácticamente sobre el mismo hueso.

compensar la deficiencia: si hay un ligamento o un músculo inflamado, seguramente se tensarán excesivamente otros para que realicen el trabajo del ligamento enfermo.

Cuando una articulación presenta sensibilidad, puede deberse a dos cosas:

- Un problema en la articulación misma.
- Un problema en la articulación del lado opuesto (contralateral).
- Un problema en la articulación correspondiente del mismo lado (lateral).

De modo que será necesario buscar, por medio de la detección de zonas sensibles, cuál es la zona que realmente está afectada.

En general, los resultados del masaje podal son fácilmente perceptibles; pero en el caso de la terapia en problemas articulares, los efectos son impresionantes. Cuando se hace el masaje a una persona que sufra de lesiones o esguinces, el alivio del dolor es inmediato y la desinflamación y recuperación de la movilidad y fuerza de la articulación se produce tras pocos días de iniciado el tratamiento.

- Tobillo. Si hubiera problemas en uno de los tobillos, se podrá hacer un masaje que tenga en cuenta las correspondencias laterales y contralaterales.

EFECTOS DEL MASAJE PODAL SOBRE LAS ARTICULACIONES

Las zonas reflejas articulares se sensibilizan o presentan cambios cuando se produce cualquier lesión, traumatismo, contusión, problema estructural, inflamatorio o degenerativo en los miembros superiores e inferiores. También si hay alteraciones en la musculatura, ligamentos o tendones.

Una disfunción en una articulación puede implicar a otras estructuras para

En los demás casos, lo primero que se comprueba es una visible distensión de la zona a nivel local.

Para todo tipo de problema articular es recomendable realizar tratamientos complementarios, quiromasaje, osteopatía y fisioterapia, además de valerse de los medios diagnósticos de la medicina oficial. Lo mejor es combinar los efectos de unas técnicas o terapias con las demás para conseguir la una recuperación más rápida y completa.

Es necesario recalcar que la mayoría de los problemas articulares se producen por la adopción de hábitos posturales incorrectos que ejercen sobrecargas nocivas en las diferentes articulaciones. Hay que prestar mucha atención a la forma en que se colocan brazos, piernas y tronco a la hora de levantar grandes pesos o hacer esfuerzos a los que no se está acostumbrado. También debe tenerse en cuenta el calzado que se utiliza ya que si producen dolores en los pies, el cuerpo tratará de distribuir el peso con el objeto de evitarlos produciendo así desviaciones de columna, trastornos en la articulación de la cadera y la de las rodillas, etc.

DIAGNÓSTICO Y TRATAMIENTO. SISTEMA ENDOCRINO

La importancia del sistema endocrino se puede comparar a la que tiene el sistema nervioso: son las glándulas de secreción interna las que contribuyen a regular no sólo el funcionamiento de los órganos sino también múltiples aspectos psicológicos.

- GLÁNDULA PITUITARIA O HIPÓFISIS. El punto reflejo de esta glándula se encuentra en el dedo gordo, sobre

Hay algunas plantas cuyos extractos son muy efectivos a la hora de aliviar o curar luxaciones o problemas articulares en general.

◀ *Los movimientos del masaje mediante rozamiento entrecruzado se deben realizar sin detenimiento pero muy lentamente. El efecto que se logra con este tipo de masaje es relajante.*

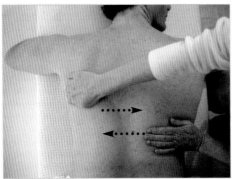

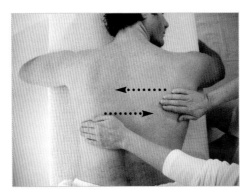

la parte inferior, al centro y un poco más arriba de la unión entre las dos falanges. Si se presentan problemas hormonales, es conveniente hacer un masaje sobre este punto a fin de regular todo el sistema de secreción interna.

- GLÁNDULA PINEAL O EPÍFISIS. Su punto reflejo también se encuentra en la parte inferior del dedo gordo, sobre el punto correspondiente a la pituitaria, ligeramente desplazado hacia el borde que limita con el segundo dedo.

- GLÁNDULA TIROIDES. Los puntos reflejos de la glándula tiroides se encuentran en la zona plantar adyacente a lo que sería el juanete. En los casos de hipertiroidismo, conviene hacer un masaje sedante sobre estos puntos; por el contrario, frente al hipotiroidismo, es adecuado un masaje estimulante.

- PARATIROIDES. Los puntos reflejos vinculados a esta estructura se localizan en la planta del pie, en la unión del dedo gordo con el

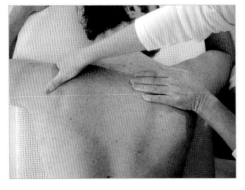

metatarso. En casos de ansiedad, de nerviosismo, conviene hacer sobre estos puntos un masaje tonificante.

- TIMO. Los puntos que se corresponden con esta estructura se encuentran en la planta del pie, en el metatarso, sobre la línea del dedo gordo.

- GLÁNDULAS SUPRARRENALES. Los puntos reflejos de las glándulas suprarrenales se encuentran hacia el centro de la planta del pie, ligeramente hacia la parte interior, sobre el arco.

- PÁNCREAS. Los puntos reflejos que se relacionan con el páncreas están en la zona final del arco del pie. En el derecho, se localiza la parte correspondiente a la cabeza de este órgano; en el izquierdo, la cola.

- TESTÍCULOS. Los puntos reflejos de los testículos se encuentran en el tobillo externo del pie masculino.

- OVARIOS. Los puntos reflejos que actúan sobre los ovarios se encuentran en los tobillos externos. Será apropiado masajearlos en los trastornos menstruales y ováricos, problemas mamarios o ante síntomas que demuestren un mal funcionamiento hormonal (hirsutismo

REFLEJO DE LOS ÓRGANOS EN LOS PIES

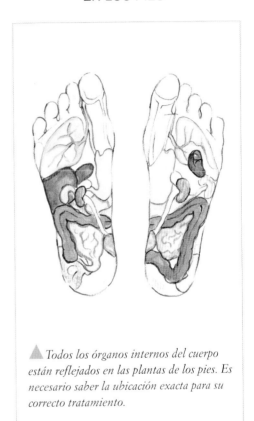

▲ *Todos los órganos internos del cuerpo están reflejados en las plantas de los pies. Es necesario saber la ubicación exacta para su correcto tratamiento.*

en una mujer, por ejemplo) sin olvidar de estimular también el hipotálamo y la hipófisis ya que los ovarios actúan bajo el control de estos dos centros.

SENSIBILIDADES REFLEJAS DEL SISTEMA ENDOCRINO

Debido a la relación que tienen todos los componentes del sistema endocrino

PUNTOS REFLEJOS DEL SISTEMA ENDOCRINO EN EL PIE

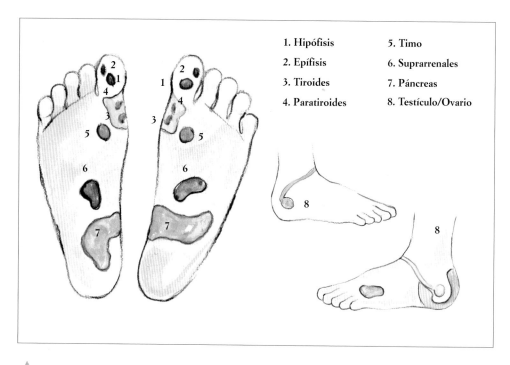

1. Hipófisis
2. Epífisis
3. Tiroides
4. Paratiroides
5. Timo
6. Suprarrenales
7. Páncreas
8. Testículo/Ovario

La mayoría de los trastornos leves del sistema endocrino, tanto femenino como masculino, pueden aliviarse considerablemente mediante el masaje podal.

entre sí, es necesario que a la hora de hacer un masaje se tonifiquen o seden las glándulas correspondientes.

Por lo general, los problemas hormonales son más comunes en mujeres que en hombres, por cambios relacionados con el ciclo menstrual. Es normal encontrar anomalías en las zonas de ovarios, suprarrenales e hipófisis, aunque no exista una causa patológica determinante sino que se trate, simplemente, de un proceso natural orgánico. Estas molestias reflejas se agudizarán si existen problemas como quistes, tumores o reglas dolorosas.

En etapas de pubertad, las zonas de las gónadas, hipofisiaria y epifisiaria, se encontrarán doloridas, abultadas o enrojecidas. Los tratamientos que se realicen en estos casos ayudarán a que la evolución se desarrolle armónicamente y con un mínimo de trastornos.

Durante el climaterio, por lo general se presenta irritación en las zonas correspondientes a las suprarrenales.

En casos de diabetes normalmente se encontrará una mayor alteración en el cuerpo y la cola del páncreas, que están en el pie izquierdo.

En los trastornos metabólicos o descalcificaciones, las zonas más implicadas serán las correspondientes a tiroides y paratiroides.

EFECTOS DEL MASAJE SOBRE EL SISTEMA ENDOCRINO

La mayor parte de los trastornos leves se pueden aliviar por medio del masaje podal y, en los casos de trastornos graves, la estimulación de los puntos puede representar cierto alivio aunque nunca una curación.

Cuando se intente colaborar en la cura de una enfermedad, lo importante sería trabajar con un especialista en endocrinología ya que éste, mediante una serie de pruebas diagnósticas, conocerá de cerca cuáles son las glándulas más desequilibradas y podrá marcar pautas que serán muy útiles.

Desgraciadamente son pocos los médicos tradicionales que puedan aceptar que el masaje podal ayuda en la mejoría de un desequilibrio hormonal, pero no por ello hay que dejar de intentarlo. De todas maneras, un masaje

PUNTOS REFLEJOS DE LOS ÓRGANOS GENITALES MASCULINOS EN EL PIE

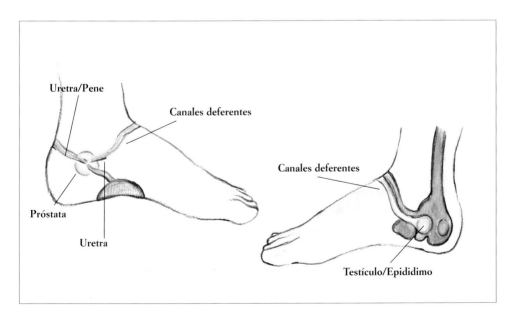

general siempre podrá ayudar al paciente, ya sea tonificando el organismo o favoreciendo la eliminación de toxinas y de los efectos secundarios producidos por la medicación.

En los casos de menopausia son muy efectivos los masajes ya que ayudan a aliviar los síntomas sin necesidad de ingerir estrógenos sino favoreciendo su producción natural (aunque en menor cantidad). Hoy se sabe que los parches tienen importantes contraindicaciones y la ingesta de estrógenos está siendo desechada por muchos médicos. De ahí que sea importante prolongar, mediante el masaje, aun cuanto más no sea una producción mínima de estas sustancias.

Los dolores menstruales, los ciclos irregulares, la amenorrea, las mastopatías (trastornos mamarios) y un sinfín de disfunciones pueden ser corregidas con el masaje podal. Este también ha tenido éxito en el tratamiento de la infertilidad. En estos casos es necesario tratar a la pareja en conjunto ya que en muchísimos casos el trastorno es producido más por bloqueos emocionales que por disfunciones reales.

SISTEMA UROGENITAL

El masaje podal sobre los puntos reflejos del sistema urogenital es muy importante y debe hacerse siempre en casos de enfermedad, ya que favorece la eliminación de toxinas del cuerpo. Los puntos reflejos de cada uno de los órganos son los siguientes:

- RIÑONES. El punto reflejo de cada riñón se encuentra hacia el centro de la planta del pie del mismo lado.

- URÉTERES. Los puntos reflejos de los uréteres trazan una línea transversal desde el centro de la planta del pie, donde se encuentra el punto del riñón, hacia el borde interno y hacia el talón, que es donde se encuentra el punto reflejo de la vejiga.

- VEJIGA. La zona refleja que se relaciona con este órgano se encuentra hacia el final posterior del arco del pie, donde comienza la almohadilla del talón.

- URETRA. Los puntos reflejos de la uretra se encuentran sobre la parte interna del talón.

EFECTOS DEL MASAJE PODAL SOBRE EL SISTEMA URINARIO

Cuando hay problemas de mal funcionamiento del sistema urinario, como por ejemplo cálculos renales, inflamación, cistitis, alteraciones de próstata o incontinencia urinaria, se percibe una sensibilidad mayor en la zona que va desde el centro del pie hasta la zona interna del talón. El riñón suele estar sobrecargado en personas que comen carne en exceso, que beben poco líquido y en casos de hipertensión.

La vejiga, por lo general, se presenta inflamada en las personas que tienen problemas de retención de líquidos.

Si hay presencia de arenilla o de cálculos, la zona que corresponde a los uréteres puede presentar una marcada sensibilidad.

Uno de los efectos más habituales del masaje podal es la eliminación de toxinas por vía urinaria; al terminar el masaje, por lo general, la persona siente necesidad de ir al baño.

A veces, cuando hay una enfermedad importante, es necesario interrumpir el masaje por la urgencia de orinar que experimenta el paciente. En este caso, se prosigue luego con normalidad.

Debido a la acción del masaje, es también frecuente que la orina cambie de color: puede enturbiarse y tener un olor más intenso. Estas son señales que indican que el organismo está eliminando toxinas y que la manipulación ayuda al organismo a depurarse a través del filtrado natural que se produce en los riñones.

En caso de que hubiera cálculos renales, el masaje puede ser beneficioso, tanto para la eliminación natural de las piedras como para evitar posteriores inflamaciones y servir, a la vez, de analgésico. Para

SISTEMA URINARIO

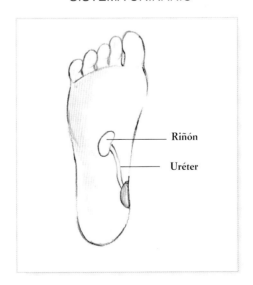

Riñón

Uréter

DIAGRAMA REFLEJO DE LOS ÓRGANOS
GENITALES FEMENINOS

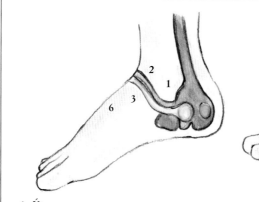
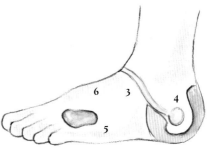

1. Útero
2. Uretra/vagina
3. Trompas de Falopio

4. Ovario
5. Mama
6. Zona de relajación
   de dolores menstruales

estos tratamientos es necesario tener un conocimiento previo de la consistencia y tamaño del cálculo para poder determinar si es o no conveniente que se efectúe el masaje. Si el cálculo es grande y se ha movilizado, es mejor consultar antes con un médico ya que el proceso de expulsión puede ser muy doloroso e implica ciertos riesgos. El masaje no debe ser hecho por una persona inexperta.

Cuando se comienza un tratamiento podal suele sentirse una necesidad de beber líquidos mayor que la habitual. Por lo general esto es beneficioso ya que es muy poca la gente que ingiere la cantidad de líquidos necesaria para mantener su cuerpo en buenas condiciones. No está de más recordar que la cantidad recomendada se calcula entre uno y medio y dos litros diarios. Esta ingesta ayudará a los riñones a hacer su trabajo y mejorará considerablemente la piel. La piel contribuye enormemente al trabajo de desintoxicación que se efectúa en los riñones ya que por medio del sudor se eliminan muchas toxinas. De hecho, las glándulas sudoríparas tienen una estructura anatómica muy similar a las nefronas.

Por otra parte, la piel se hidrata por dentro bebiendo agua. Esta se puede tomar sola, con algunas gotas de limón o en forma de zumos de fruta.

ÓRGANOS GENITALES MASCULINOS

- TESTÍCULOS. Las zonas reflejas de los testículos se sitúan en la parte inferior de los tobillos externos.

- CONDUCTOS Y CANALES DEFERENTES. La zona refleja de los conductos deferentes la constituye una estrecha franja que cruza la parte del empeine más cercana a la pierna.

- PRÓSTATA. La zona refleja de la próstata se encuentra en la zona alta del talón, del lado interno.

- PENE. La zona refleja de este órgano se encuentra en la parte alta y posterior del talón.

EFECTOS DEL MASAJE PODAL SOBRE EL SISTEMA REPRODUCTOR MASCULINO

Las alteraciones que con mayor frecuencia producen sensibilidad en estos órganos son las relacionadas con la próstata. En las palpaciones se suele encontrar la zona refleja dolorida al tacto, sobre todo en la mayoría de los hombres de edad madura. Se detectan inflamaciones y granulaciones anormales que reflejan deficiencias, y aunque clínicamente no se conozca un diagnóstico preciso de la alteración que esté afectando, es recomendable tratar toda la zona en profundidad. Esto ayudará a restablecer el equilibrio natural de la glándula evitando posibles complicaciones posteriores.

Si el paciente sufre alteraciones en las demás estructuras genitales, como quistes, problemas hormonales, impotencia o esterilidad, se verá reflejado en las zonas podales con un aumento de la sensibilidad, granulaciones, durezas, etc. Incluso ciertos tipos de calvicie precoz pueden tener aquí su origen, ya que ésta se produce por trastornos hormonales. En estos casos el masaje podrá ayudar a resolver el problema.

El tratamiento podal sobre los órganos genitales masculinos produce amplios beneficios: rejuvenecimiento, virilidad y

Estudiando bien donde se ubican los puntos reflejos de los distintos órganos en la planta del pie, nos podremos realizar un automasaje en los mismos aplicando presión.

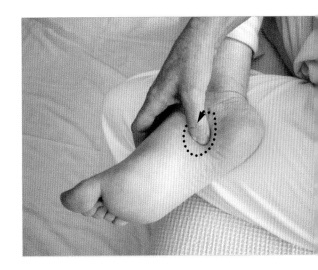

equilibrio emocional, entre otros.

A estos cabe añadir la considerable mejoría de síntomas y signos patológicos, en caso de que existan.

ÓRGANOS GENITALES FEMENINOS

- OVARIOS. Los puntos reflejos de este órgano se encuentran en el tobillo del mismo lado.

- TROMPAS DE FALOPIO U OVIDUCTOS. Las zonas reflejas correspondientes a estos conductos atraviesan, desde el exterior hacia el interior, la zona alta del tarso.

DIAGRAMA REFLEJO DEL CORAZÓN Y DEL SISTEMA CIRCULATORIO

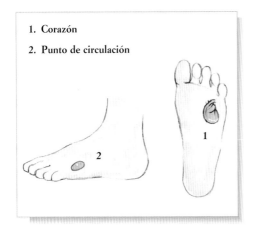

1. Corazón

2. Punto de circulación

- ÚTERO. La posición de las zonas podales de este órgano se pueden localizar debajo del tobillo externo.

- VAGINA, URETRA Y GENITALES EXTERNOS. Los puntos reflejos de estos órganos se encuentran hacia la zona posterior del tobillo, prácticamente sobre la parte alta del talón.

- GLÁNDULAS MAMARIAS. Su representación en el pie se localiza sobre el tarso, siguiendo la línea del dedo medio, sobre el dorso del pie.

EFECTOS DEL MASAJE PODAL SOBRE EL SISTEMA REPRODUCTOR FEMENINO

Todas las áreas que representan los órganos del sistema genital femenino se encuentran más sensibilizadas en los días próximos a la menstruación y al periodo de ovulación.

También se pueden encontrar en estas zonas otras anomalías que indiquen otro tipo de alteraciones: dolencias inflamatorias, tumorales, amenorreas, metrorragias, dismenorreas, úlceras, erosiones, endometriosis, etc. Incluso es posible que la implantación de un dispositivo intrauterino se vea reflejado en el pie por medio de una mayor sensibilidad en la zona relacionada con este órgano.

▲ *En las zonas reflejas del pie que corresponden al cráneo hay muchas tensiones. El masaje podal se puede acompañar con un masaje en la zona a tratar, que en este caso es la frente y las sienes.*

En casos de extirpación ovárica o uterina, el tejido cicatrizal a menudo crea adherencias o queratizaciones que determinen sensibilización, aun después de haber transcurrido un largo tiempo desde la operación.

Las glándulas mamarias se inflaman y están más sensibles por los ciclos hormonales y menstruales, pero también se pueden observar anomalías en sus puntos reflejos en caso de haber otras alteraciones: mastopatías, fibrosis, nódulos, etc.

El masaje en estas áreas tiene un especial interés, ya que actúa normalizando y regulando todas las funciones propias de los órganos, a la vez que repercute sobre el estado emocional del paciente. Son bien conocidos los trastornos de personalidad que acarrea el síndrome premenstrual que afecta a una gran cantidad de mujeres mes tras mes.

Se han obtenido excelentes resultados tratando ovarios poliquísticos ya que regula la función ovárica minimizando las molestias y dolores.

En los casos de mastopatías o nódulos mamarios, el masaje produce un efecto desintegrador beneficioso.

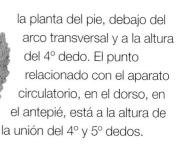

Los órganos reproductores femeninos, junto con las hormonas que se relacionan con ellos, están involucrados también en otras molestias como, por ejemplo, la celulitis y la obesidad. Manteniendo un equilibrio en todo el sistema por medio del masaje podal, se consigue redistribuir o eliminar los depósitos de grasa.

DIAGNÓSTICO Y TRATAMIENTO. SISTEMA CARDIO-RESPIRATORIO

La importancia que tiene el sistema cardio-respiratorio para el masaje podal es enorme. Son sus órganos y sistemas de conexión los que llevan a todas las células del cuerpo el oxígeno, recogiendo y expulsando a su vez los gases y productos de desecho.
Un masaje correcto sobre los puntos reflejos de este sistema no sólo depura el organismo sino que también tonifica todos los demás sistemas.

Los reflejos podales del aparato circulatorio y del corazón se encuentran ambos en el pie izquierdo. El primero, en

la planta del pie, debajo del arco transversal y a la altura del 4° dedo. El punto relacionado con el aparato circulatorio, en el dorso, en el antepié, está a la altura de la unión del 4° y 5° dedos.

EFECTOS DEL MASAJE PODAL SOBRE EL CORAZÓN Y SISTEMA CIRCULATORIO

El punto de circulación se encuentra, por lo general, muy sensible al tacto. Esto indica deficiencias circulatorias como varices o piernas pesadas.

El punto reflejo del corazón señala alteraciones cardíacas, aunque éstas sean secundarias, por ejemplo en hipertensión o hipotensión se encontrará la zona sensibilizada.
Si existen anomalías importantes, el dolor que se produce al hacer el bombeo con el pulgar es muy agudo. Es necesario tratar la zona con sumo cuidado y dar la información al paciente con tacto ya que, por lo general, a la mayoría de la gente le inquieta mucho saber que tiene algún trastorno cardiaco, por simple que sea.

A veces se percibe un endurecimiento de la zona refleja tan marcado que el masajista neófito, puede pensar en una anomalía profunda. Sin embargo, no es así; el corazón manifiesta también problemas emocionales, sobre todo si están relacionados con los afectos. En estos casos también es recomendable el masaje, ya que si el bloqueo es mantenido durante mucho tiempo sin que nada lo disuelva, a la larga podría generar un problema más serio.

SISTEMA RESPIRATORIO

Las zonas reflejas podales que se corresponden con los órganos del sistema respiratorio son las siguientes:

- Nariz. Este órgano, al igual que los senos frontales y la boca, que puede intervenir en la respiración cuando las fosas nasales están obstruidas, se halla representado básicamente en la cara externa del dedo gordo del pie.

- Faringe, laringe, tráquea. Los puntos reflejos de estos tres órganos se encuentran sobre una línea que se extiende desde el espacio interdital del dedo gordo y

DIAGRAMA REFLEJO DEL SISTEMA RESPIRATORIO

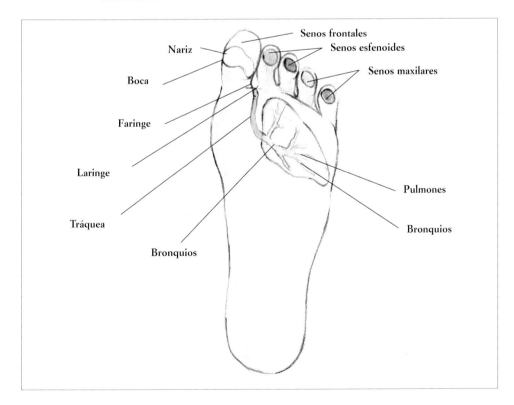

▲ *Independientemente de qué dolencia se pretenda curar mediante el masaje podal, siempre es necesario tocar aquellos puntos que favorecen la eliminación de toxinas.*

segundo dedo hasta pasado el arco transversal.

- BRONQUIOS. Sus puntos reflejos se extienden sobre el centro de la parte anterior de la planta, hacia el exterior

- PULMONES. La zona refleja de cada pulmón ocupa la parte anterior de la planta del pie, debajo del arco transversal, en un espacio que va desde el 2° dedo hasta el 5°, siguiendo la forma de este órgano.

- DIAFRAGMA. La zona refleja del diafragma no está en la planta sino en

el dorso del pie, en un arco que lo atraviesa el antepié.

EFECTOS DEL MASAJE PODAL SOBRE EL SISTEMA RESPIRATORIO

Las anormalidades más frecuentes que se pueden observar en los puntos reflejos del sistema respiratorio casi siempre se deben a una respiración incorrecta. Estas áreas indican sobrecargas en la porción superior, mientras que al palpar las zonas laterales y las inferiores, se notan comprimidas.

Habitualmente la gente hace una respiración superficial; no realiza inspiraciones profundas o respiraciones completas, abdominales e intercostales, que tantos beneficios suponen para la salud.

Es fácilmente observable que los pies de personas que comúnmente realizan

prácticas respiratorias, ya sean de yoga o de cualquier otra disciplina, tienen una coloración y textura diferente de las personas que no lo hacen. Las áreas reflejas se muestran distendidas y bien oxigenadas.

Una buena respiración ayuda a liberar tensiones, a oxigenar el organismo y

DIAGRAMA REFLEJO DEL SISTEMA DIGESTIVO

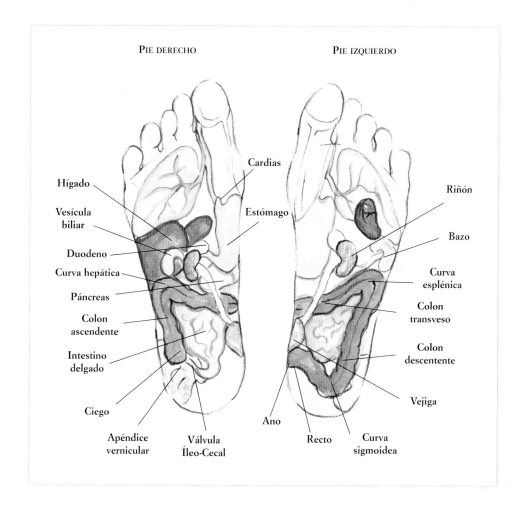

PIE DERECHO — PIE IZQUIERDO

Cardias

Hígado

Riñón

Vesícula biliar

Estómago

Bazo

Duodeno

Curva hepática

Curva esplénica

Páncreas

Colon transveso

Colon ascendente

Colon descentente

Intestino delgado

Vejiga

Ciego

Ano

Apéndice vernicular

Válvula Íleo-Cecal

Recto

Curva sigmoidea

recargarlo de energía; además, utilizar adecuadamente la mecánica respiratoria en sus tres variantes, costal, diafragmática y costodiafragmática, propicia el buen tono de los músculos intercostales que ayudan a proteger la caja torácica de presiones atmosféricas internas y del diafragma, del cual depende, aproximadamente, el 75% del volumen torácico.

La importancia del correcto funcionamiento del sistema respiratorio es sustancial, ya que colabora en el mantenimiento del equilibrio ácido-básico sanguíneo y activa, a través de la respiración, el flujo linfático.
Los catarros, alergias, asma, procesos inflamatorios, infecciosos o tumorales, las afonías, ronqueras o sinusitis pueden comprometer las sensibilidades reflejas de estas áreas expuestas a continuas agresiones internas y externas.

Los beneficios más inmediatos del masaje sobre los órganos del sistema respiratorio serán una mayor oxigenación, seguida de un aumento de la energía general. Esto se traducirá en un aumento de las actividades mentales y fisiológicas.

Cuando hay alteraciones serias, los efectos, en un principio, pueden parecer contradictorios pues suele producirse un leve empeoramiento del cuadro clínico al aumentar las secreciones pulmonares (expectoración), tos o signos de acatarramiento.

Estos trastornos se normalizarán en dos o tres días como máximo, produciéndose tras ellos una mejoría definitiva y duradera.

En casos crónicos, o en aquellos que están aparentemente curados sin que así sea, puede presentarse una reagudización temporal de los síntomas que habían desaparecido. Estos se resolverán en dos o tres días dando

La vida sedentaria es uno de los factores que influyen en el mal funcionamiento del sistema digestivo, como por ejemplo el estreñimiento.

Después de un masaje podal se obtiene una gran relajación, además de proporcionar equilibrio y libre flujo de la energía.

lugar a una mejoría real o a una erradicación de la enfermedad. Es lo que habitualmente se conoce con el nombre de crisis curativa.

Una de las enfermedades del sistema respiratorio que suele responder excelentemente al masaje podal es el asma. Existen técnicas reflejas específicas que ayudan a incrementar la ventilación, actuando activamente sobre las crisis.

Es necesario tener presente que los ataques asmáticos provocan un estado de ansiedad considerable; en medio de una crisis, mientras se experimentan ahogos, es prácticamente imposible mantener la calma y tanto eso como el temor a que la crisis se desencadene, determina un estado de estrés y ansiedad constante que agravan el problema y hacen difícil conciliar el sueño, comer o beber con normalidad o llevar una vida tranquila. De modo que cuando se trabaje sobre los pies de una persona asmática, no sólo deberá hacerse un masaje en los puntos directamente relacionados con la respiración sino también se deberá trabajar sobre los puntos que inducen a la relajación, que combaten la ansiedad.

La terapia podal resulta eficaz para ayudar al proceso de depuración que tiene lugar cuando alguien deja de fumar. En estos casos, es habitual que las zonas reflejas del aparato respiratorio adquieran un color amarillento, como si la nicotina se estuviera eliminando por la planta de los pies.

En la sinusitis, los tratamientos practicados han dado unos resultados sorprendentes, produciéndose, en algunos casos, la expulsión espontánea de la materia purulenta por las fosas nasales en las 24 horas posteriores a la sesión de masaje.

DIAGNÓSTICO Y TRATAMIENTO. SISTEMA DIGESTIVO

A excepción de los puntos reflejos correspondientes a los maxilares superior e inferior, que se encuentran en el dedo gordo, y de la última porción del intestino grueso que está sobre el talón, casi todas las zonas reflejas vinculadas con la digestión se localizan en la planta del pie.

- FARINGE, ESÓFAGO, CARDIAS. Constituyen, después de la boca, la primera porción del tubo digestivo. Sus puntos reflejos parten de la intersección del dedo gordo con el segundo, siguiendo hacia el arco plantar.

- ESTÓMAGO. Su área refleja ocupa la porción superior del arco longitudinal, llegando casi hasta la mitad del pie en el borde interno. Aunque los masajes puedan tonificarlo, no se recomienda estimular ningún órgano hasta que no hayan pasado unas dos o tres horas después de haber comido.

- PÍLORO. El punto reflejo de este esfínter se halla hacia el centro de la planta del pie derecho, un poco desplazado hacia el borde interno.

- INTESTINO DELGADO. Sus puntos reflejos se encuentran en el tercer cuarto de la planta del pie, sin llegar al borde externo.

Los del duodeno se encuentran en el pie derecho, al igual que la válvula íleocecal. A la hora de estimular estos puntos, es necesario tener mucho cuidado en los casos de úlceras de duodeno; estas se producen por un aumento de secreción de jugos gástricos de manera que el masaje sobre este órgano, deberá ser sedante y sus efectos serán contrastados mediante la observación del estado del paciente. Lo más recomendable es

Una de las maneras más sencillas y rápidas para aliviar el dolor de pies es sumergirlos en agua caliente con aceites esenciales y un puñadito de sal.

estimular el páncreas, ya que segrega un jugo alcalino que, aunque se vierte en el duodeno, baja la acidez de los gástricos.

- INTESTINO GRUESO. Los puntos reflejos de este órgano se encuentran repartidos en ambos pies, sobre el borde externo, continuándose con la zona de la pierna adyacente al tobillo.

- HÍGADO Y VESÍCULA BILIAR. Sus zonas reflejas están ubicadas en el pie derecho, hacia el centro de la planta y cerca del borde externo.

- PÁNCREAS. La cabeza del páncreas está sobre el pie derecho, y el cuerpo y la cola, sobre el pie izquierdo.

EFECTOS DEL MASAJE PODAL SOBRE EL SISTEMA DIGESTIVO

La gran cantidad de órganos que posee este sistema hace que las sensibilidades podales posibles sean muchas, pero las más habituales y frecuentes en la población media son las relacionadas con la excreción y la digestión.

El estreñimiento afecta a muchísima gente y los problemas digestivos, debido al ritmo de vida que hoy se lleva, son cada vez más comunes. Es imprescindible resaltar, más que nunca, la importancia para la salud que tiene una alimentación sana y equilibrada en la que se eviten los productos refinados o muy elaborados. El estrés, la ansiedad, las prisas o el comer fuera de casa son factores que propician muchas de las alteraciones del sistema digestivo y, por lo tanto, molestias en los diferentes órganos y zonas reflejas podales.

Los procesos químicos que se efectúan a lo largo del tubo digestivo y del hígado son tan importantes y laboriosos que es necesario evitar sobrecargarlos con una alimentación pesada.

El trabajo de este sistema comienza en la boca; en ella se hace la primera transformación del alimento y depende de la voluntad y de los hábitos el que sean o no correctamente masticados y salivados. Allí se inicia la digestión de los hidratos de carbono y comer con calma ayuda a que esta función se realice de manera correcta

.La reflexología podal proporciona muchas ventajas sobre todos los procesos de digestión, asimilación y excreción, facilitando el equilibrio de las glándulas que

Una vez realizado el masaje podal resulta muy relajante darse un baño rodeado de una decoración especial y estimulante.

trabajan conjuntamente con los órganos encargados de estas funciones.

Durante el desarrollo de una sesión, se ha comprobado que la mayoría de los pacientes sienten movimientos en su zona intestinal; en ocasiones se ha producido la liberación espontánea de gases. En general, puede decirse que la evacuación en las horas siguientes al masaje es más cuantiosa. Se observan cambios en su consistencia y color, de la misma manera que se producen en la orina.

Muchos de los problemas del sistema digestivo están íntimamente relacionados con las tensiones, nerviosismo y estrés. Por ello, el masaje reflejo tendrá una acción muy beneficiosa sobre el sistema digestivo si, además, se refuerza adecuadamente el sistema nervioso.

Las manipulaciones en el pie tienden a propiciar el control de las secreciones gástricas, a mejorar el mantenimiento de las mucosas, dar el tono muscular correcto a los órganos a fin de ayudar a la movilidad y al perfecto funcionamiento de los esfínteres y válvulas.

Para que el masaje sea positivo, es necesario comprender el funcionamiento del sistema digestivo, de las glándulas que aportan las diferentes sustancias que posibilitan la preparación de los alimentos a fin de que puedan ser absorbidos en el intestino. En caso de no tener conocimientos precisos acerca de una dolencia digestiva, el porqué se produce o sobre qué puntos actúa, es preferible hacer un masaje general y no estimular demasiado ninguno de los órganos; máxime teniendo en cuenta que muchos de ellos segregan jugos de gran acidez que podrían empeorar el cuadro.

En todo caso, siempre debe tomarse como norma disolver los nódulos que aparezcan en el pie, a fin de poner la energía en movimiento.

SISTEMA LINFÁTICO

Los puntos reflejos correspondientes a los vasos y ganglios linfáticos están distribuidos sobre el dorso del pie.

Las sensibilidades reflejas se percibirán en las áreas linfáticas próximas a los focos infecciosos, ulcerosos, inflamatorios, tumorales, cúmulos excesivos de grasa o líquidos tisulares, estreñimiento, etcétera.

En problemas de inmunodeficiencia también se pueden encontrar algunas anomalías en el bazo y en el timo. El bazo, a su vez, puede presentar una mayor sensibilidad en caso de anemia.

CAPÍTULO 17

El masaje ante enfermedades concretas

LO PRIMERO QUE DEBE HACER EL TERAPEUTA CUANDO COMIENZA LA SESIÓN DE MASAJE ES OBSERVAR LOS PIES VISUALMENTE, COMPROBAR SU TEMPERATURA EN LAS DIVERSAS ZONAS, LAS DUREZAS O CALLOS QUE PRESENTEN, LAS MANCHAS, NÓDULOS, DEFORMACIONES DE LOS DEDOS, ESCAMACIONES DE LA PIEL, ETC. DE ESTE MODO PODRÁ HACERSE UNA IDEA DE LAS ZONAS DEL ORGANISMO QUE PUEDAN TENER PROBLEMAS.

Si por medio de este examen y de un breve interrogatorio al paciente considera que está ante una persona que tiene buena salud, el terapeuta procederá a hacer un masaje tonificante y energizante capaz de armonizar todos los sistemas a fin de que el organismo tenga una mayor resistencia a las enfermedades.

Es importante que las manos del terapeuta tengan una temperatura normal; ni muy frías ni muy calientes, y que utilice algún elemento que permita un deslizamiento suave sobre la piel de los pies. Es conveniente que el masaje tenga un orden, a fin de que pueda ser aprovechado al máximo. El que se sugiere es el siguiente:

▶ *Existen muchas formas de aplicar un masaje facial. La presión en la zona cervical es una de las más delicadas. Si se aplica mucha fuerza se pueden provocar lesiones graves.*

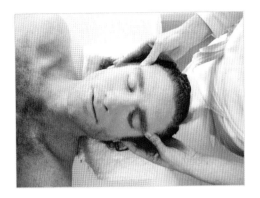

▲ *Los laterales de la frente presionados con seguridad será un paso importante del masaje facial.*

- DISOLUCIÓN DE SUSTANCIAS TÓXICAS. Es conveniente comenzar por este punto, masajeando las zonas relacionadas con el aparato urinario, a fin de que se eliminen las sustancias nocivas.

- EQUILIBRIO DEL SISTEMA NERVIOSO CENTRAL. A continuación, se deberá hacer un masaje sobre el dedo gordo, que es donde están los puntos reflejos que corresponden al sistema nervioso central. Este es el centro de control del organismo, de modo que si tiene un buen equilibrio distribuirá adecuadamente las energías a cada punto del cuerpo.

▲ *Otro punto importante del tratamiento son los suaves pellizcos en las cejas.*

- LOGRAR UNA BUENA OXIGENACIÓN. Para ello, se deberán tocar los puntos relacionados con los pulmones y con el sistema circulatorio.

- ZONA GASTROINTESTINAL. El masaje deberá proseguir por el intestino, hígado, vesícula y páncreas.

- EQUILIBRIO DEL SISTEMA INMUNITARIO. Para armonizar este sistema será preciso manipular todos los puntos relacionados con el sistema linfático a fin de hacer el organismo más

▲ *La presión aplicada en el centro de la frente asegura la relajación del paciente.*

resistente a todo tipo de infecciones. Es un error limitarse al masaje de las zonas linfáticas adyacentes al órgano afectado.

- ARMONIZACIÓN DE LOS DEMÁS ÓRGANOS Y SISTEMAS. Deberá hacerse un masaje que tenga una duración media de tres a cinco minutos. En las zonas que se correspondan con órganos enfermos, es muy probable que el paciente tenga una mayor sensibilidad y que le resulte dolorosa una presión que en otros

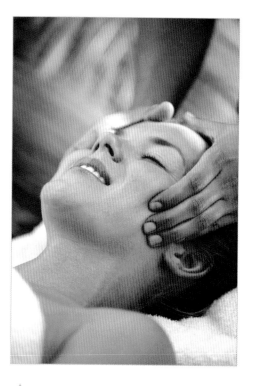

Los masajes nunca deben resultar molestos o dolorosos. El bienestar del paciente es la prioridad.

sitios no ha sido molesta. Por esta razón se deberá hacer un masaje más suave pero durante un tiempo mayor que, se aconseja, sea el doble que el empleado en el resto de los puntos.

CÓMO TRATAR LOS DIFERENTES TRASTORNOS

En las diferentes dolencias, aunque afecten directamente a un órgano, por lo general hay varios involucrados, de una u otra manera. Cuanto mejor se comprenda cada enfermedad, más efectivo será el masaje que pueda brindarse ya que se tendrán en cuenta la forma en que contribuyen a ella los diferentes órganos y sistemas.

Puede afirmarse que en la mayoría de los trastornos es muy importante eliminar las toxinas del organismo; para ello deberá prestarse mucha atención a los puntos relacionados con el sistema urinario. También es necesario tener en cuenta que en el combate de las infecciones está siempre presente el sistema linfático, de modo que ante un flemón en la boca, por ejemplo, será preciso: eliminar las toxinas (sistema urinario), masajear el dedo gordo entre la primera y segunda falanges (zona que se corresponde con los maxilares) y estimular los

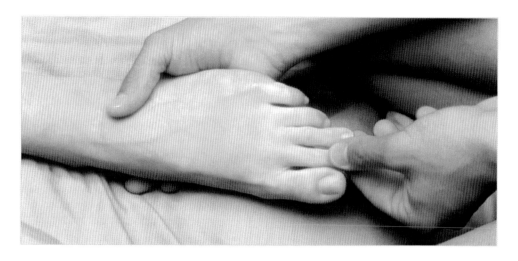

⚠ *El tiempo aconsejable para masajear cada uno de los puntos es de tres a cinco minutos. En aquellos en los que el paciente sienta dolor, será necesario prolongarlo por más tiempo y hacerlo con mayor suavidad.*

puntos relacionados con el sistema linfático.

Para tratar con éxito cualquier enfermedad es necesario conocer todos los sistemas que están implicados en ella. En caso de no tener una idea clara acerca de su desarrollo o de la forma en que el organismo reacciona ante ella, se podrá hacer un masaje analgésico para calmar el dolor en la zona y un masaje general que actúe beneficiosamente sobre todo el organismo.

A modo de guía, se explica a continuación el tratamiento de algunas afecciones comunes.

- ACNÉ Y GRANOS. Se deben a una acumulación de toxinas en el

organismo. Hay que estimular los puntos que corresponden al sistema urinario (riñones, uréter y vejiga).

- ALERGIAS. Hacer un masaje en la zona de las glándulas adrenales para estimular la producción de cortisona. También será necesario masajear los puntos relacionados con el sistema urinario (riñones, uréter y vejiga) para favorecer la eliminación de las toxinas.

- AMIGDALITIS. Hacer un masaje en la zona de la laringe, de las amígdalas y de todo el sistema linfático para combatir la infección.

- ANSIEDAD. Limpiar el organismo para favorecer la eliminación de toxinas mediante un masaje sobre los órganos del sistema urinario. Hacer un masaje sedante sobre las glándulas suprarrenales.

Estimular el pulgar para tonificar y oxigenar el sistema nervioso central. También será necesario tonificar los puntos relacionados con el paratiroides, ya que una hipercalcemia en sangre propicia el nerviosismo y los estados de ansiedad.

- ARTRITIS Y ARTROSIS. Limpiar el organismo mediante un masaje sobre los órganos del sistema urinario y estimular los puntos que se correspondan con las articulaciones doloridas haciendo un masaje suave y prolongado.

- ASMA. Hacer un masaje que elimine las sustancias tóxicas (sistema urinario) y sobre los puntos correspondientes a pulmones y bronquios. Puede ayudar la estimulación de los ganglios linfáticos.

- BRONQUITIS. Estimular los puntos relacionados con los pulmones y bronquios. Conviene también

masajear las zonas correspondientes a todo el sistema linfático a fin de reforzar el sistema inmunitario y controlar cualquier infección.

- BAZO. A veces, cuando se corre o se hace un esfuerzo físico grande y prolongado, aparece un dolor punzante en el bazo. La solución, en este caso, es masajear el punto relacionado con este órgano.

- CEFALEAS. Masajear los diferentes puntos del dedo gordo, buscando aquél que sea más sensible a fin de incidir sobre la zona que está provocando el dolor.

- CIRCULACIÓN. Hacer un masaje sobre el punto que corresponda al corazón y sobre las glándulas adrenales. Conviene también hacer un masaje de limpieza para eliminar toxinas.

- CIÁTICA. Hacer un masaje en la zona correspondiente a la columna vertebral, sobre todo insistir en el área lumbar. Si el dolor ha irradiado hacia la pierna, masajear los puntos correspondientes al muslo y a la pantorrilla para aliviar el dolor.

- DIARREA. Estimular los puntos relacionados con el aparato digestivo (sobre todo intestino delgado e intestino grueso). Conviene también

Para combatir los dolores menstruales, se deben estimular las glándulas suprarrenales, los ovarios y la hipófisis a través del masaje.

hacer un masaje que ayude a eliminar las toxinas.

- DOLORES MENSTRUALES. Si se presentan durante la ovulación, se pueden mejorar mediante la estimulación de las glándulas suprarrenales, ovarios e hipófisis. Si el trastorno se produce durante la menstruación, se podrá estimular el útero.

- ESTREÑIMIENTO. Masajear los puntos correspondientes a los órganos del aparato digestivo. También sería conveniente un masaje sobre los que se vinculan con el sistema urinario a fin de eliminar las toxinas.

- INFECCIONES. Masajear todos los ganglios linfáticos del cuerpo y, además, los correspondientes a los órganos afectados así como los del sistema urinario para eliminar las toxinas que pudiera haber en el organismo.

- PIES. Si uno de los pies está afectado, se puede masajear el otro o bien la mano

correspondiente al mismo lado.

- RESFRIADOS. Hacer un masaje para eliminar las toxinas (sistema urinario). Estimular el sistema circulatorio y las áreas correspondientes a los pulmones y bronquios. Tonificar el sistema linfático y, por último, tocar los puntos que se relacionan con la nariz.

- SÍNDROME DE TÚNEL CARPIANO. Esta es una dolencia cada vez más común ya que el uso del ratón, al requerir un movimiento repetitivo, termina por inflamar los nervios y tendones de la muñeca. Además de hacer un masaje podal en la zona que se corresponda con la mano y la muñeca, también será necesario actuar sobre el sistema nervioso. Conviene hacerlo a través de un masaje sobre las zonas que se corresponden con la primera parte de la columna y también sobre el codo, siguiendo la trayectoria de los nervios afectados.

- TOBILLOS. Hacer un masaje en el tobillo opuesto o bien en la muñeca del mismo lado que el tobillo afectado.

- VÉRTIGO. Masajear los puntos correspondientes al oído interno, responsables del sentido del equilibrio